Mon Premier Larousse des ANIMAUX

ILLUSTRATIONS

Marc **Boutavant**
DANS LES OCÉANS

Benjamin **Chaud**
LES GRANDES FAMILLES / EN MONTAGNE / LES TERRES FROIDES

Nathalie **Choux**
LA FORÊT TEMPÉRÉE

Jérémy **Clapin**
LES GRANDES FAMILLES / L'AUSTRALIE

Vincent **Desplanche**
LA FORÊT TROPICALE

Clotilde **Perrin**
LA SAVANE

Rémi **Saillard**
DANS LE DÉSERT / RIVIÈRES ET LACS

Illustration de couverture :
Émile **Bravo**

Rédaction : Benoît **Delalandre**
Direction artistique : Frédéric **Houssin** & Cédric **Ramadier**
Conception graphique & réalisation : **DOUBLE**
Direction éditoriale : Françoise **Vibert-Guigue**
Édition : Marie-Claude **Avignon**
Direction de la publication : Marie-Pierre **Levallois**
Lecture-correction : Delphine **Godard**, Marie-Claude **Salom-Ouazzani**
Fabrication : Patricia **Poinsard**

ISBN 2035531136 • Imprimé en Espagne • Photogravure : Passport
Dépôt légal : avril 2004 • N° de projet : 10106003
Conforme à la loi n° 49956 du 16 juillet 1949 sur les publications destinées à la jeunesse.

Mon Premier Larousse des ANIMAUX

SOMMAIRE

Un animal, qu'est-ce que c'est ?

Un animal est un être vivant qui bouge et qui trouve son énergie dans la nourriture. Un animal sauvage vit libre, dans la nature. Il n'a pas besoin de l'homme.

Il y a deux sortes d'animaux

Les **vertébrés**. Ils ont, comme nous, une colonne vertébrale et un squelette.

Les **invertébrés**. Ce sont les autres.

Les animaux ont besoin de chaleur

La plupart ont le **sang froid**.
Leur température dépend de celle de l'air ou de l'eau qui les entoure.
S'il fait trop froid, ils ne bougent plus.

Ce **papillon** se chauffe au soleil pour trouver l'énergie de s'envoler.

Les oiseaux et les mammifères ont le **sang chaud**. Ils produisent leur propre chaleur. Alors ils peuvent bouger même quand il fait très froid.

Herbivore ou carnivore ?

Herbivore, il mange des **végétaux**.

Carnivore, il mange des **animaux**.

L'instinct

L'animal est capable, **sans apprendre**, de faire un tas de choses. C'est l'instinct.
Le **bernard-l'ermite** sait qu'il doit protéger son ventre mou.

Vivre et faire des petits qui pourront vivre

Pour faire des petits,
il faut un **père** et une **mère**.
Les parents doivent
d'abord se rencontrer.
Ils sont **souvent différents**.

le lion

la lionne

le cerf **la biche**

Le mâle doit séduire la femelle.

Pour cela, il doit être
le plus **beau** ou le plus **fort**.

Il doit savoir **chanter**
ou faire de petits **cadeaux**.

Puis ils s'accouplent.

Plus tard, les petits naissent.

Ils ressemblent à leur mère
et à leur père. Ils sont tous
uniques et **différents**.

Puis ils grandissent et
se reproduisent à leur tour.

Certains bébés se développent **dans le ventre** de leur mère.

D'autres grandissent **dans un œuf**.

Certains se débrouillent **tout seuls**.

D'autres sont élevés **par leur mère**, parfois par leur père.

L'évolution

Dans cette famille d'**oiseaux bleus**, **un** des petits est né **vert**.

Un aigle passe et dévore les **bleus**.

Le petit **vert** a la chance d'être moins **visible** que les autres, il a survécu.

Il grandit, rencontre une **femelle verte**.

Ils ont des **oisillons verts**, sauf un qui a des **rayures jaunes**.

L'aigle repasse et emporte tous les verts. **Il n'a pas vu le rayé**.

<u>Conclusion</u> : C'est ainsi que petit à petit, toutes **les espèces se transforment**. Leur évolution leur permet de survivre. Mais cela prend **beaucoup de temps**.

Un amphibien, qu'est-ce que c'est ?

Un amphibien est un animal à sang froid qui vit entre terre et eau. Sa peau est nue et lisse, sans écailles.

Il **pond dans l'eau** des œufs sans coquille.

La **larve** sort de l'œuf et continue de vivre dans l'eau.

Puis elle se transforme en **adulte** qui vit **à terre**.

Tritons et salamandres

Les tritons et les salamandres se ressemblent. Ils vivent **près des mares**.

Ils ont une queue et ne sautent pas.

Ils mangent des vers et des insectes.

Attention, leur peau fabrique souvent du venin.

À la **saison des amours**, certains mâles tritons se laissent pousser une grande **crête** sur le dos. Ils ressemblent à des **dinosaures**, les femelles aiment beaucoup.

Grenouilles et crapauds

La **grenouille saute** avec ses **pattes arrière** et atterrit sur ses **pattes avant**.

Pour appeler la femelle, le **mâle** grenouille gonfle ses ballons. **Coaaa** !

Chasse à vue !

Les amphibiens ont de gros yeux pour chasser. La plupart capturent des insectes en projetant leur longue langue gluante.

La grenouille **Goliath** vit en Afrique. Elle est énorme et mange tout ce qui passe à sa portée : oiseaux, rats, crapauds, serpents.

Attention ! Le **crapaud** n'est pas le mâle de la grenouille. Il a une **peau épaisse**, couverte de verrues, qui retient l'humidité. Ainsi, il peut rester longtemps à terre.

S'il est attaqué, il se lève sur la **pointe des doigts** pour paraître plus grand.

Les petites bêtes à pattes

Insectes, araignées, mille-pattes, tout est une histoire de pattes.

3 paires, c'est un **insecte**.

4 paires, c'est une **araignée**.

7 paires, c'est un **cloporte**.

Plein de paires, c'est un **mille-pattes**.

Les **insectes** nous **piquent**, nous rendent malades, **mangent** nos récoltes, nos vêtements, nos maisons. Ils nous font peur, ces **monstres minuscules**.

Mais imaginons
un monde sans insectes.

Sans les mangeurs de feuilles, la terre est envahie de végétation.

Sans les éboueurs, le sol est recouvert d'une énorme épaisseur de déchets : bois mort, crottes, cadavres.

Sans les butineurs, il n'y a presque pas de graines, ni de fruits.

Sans insectes à manger, sans graines, ni fruits, il n'y a plus d'oiseaux.

Les **insectes sont indispensables** à la vie ! Ils ont tous leur place dans la nature.

Un insecte, qu'est-ce que c'est ?

Un insecte est un petit animal dont le corps est divisé en trois parties (la tête, le thorax et l'abdomen) et qui marche sur 6 pattes.

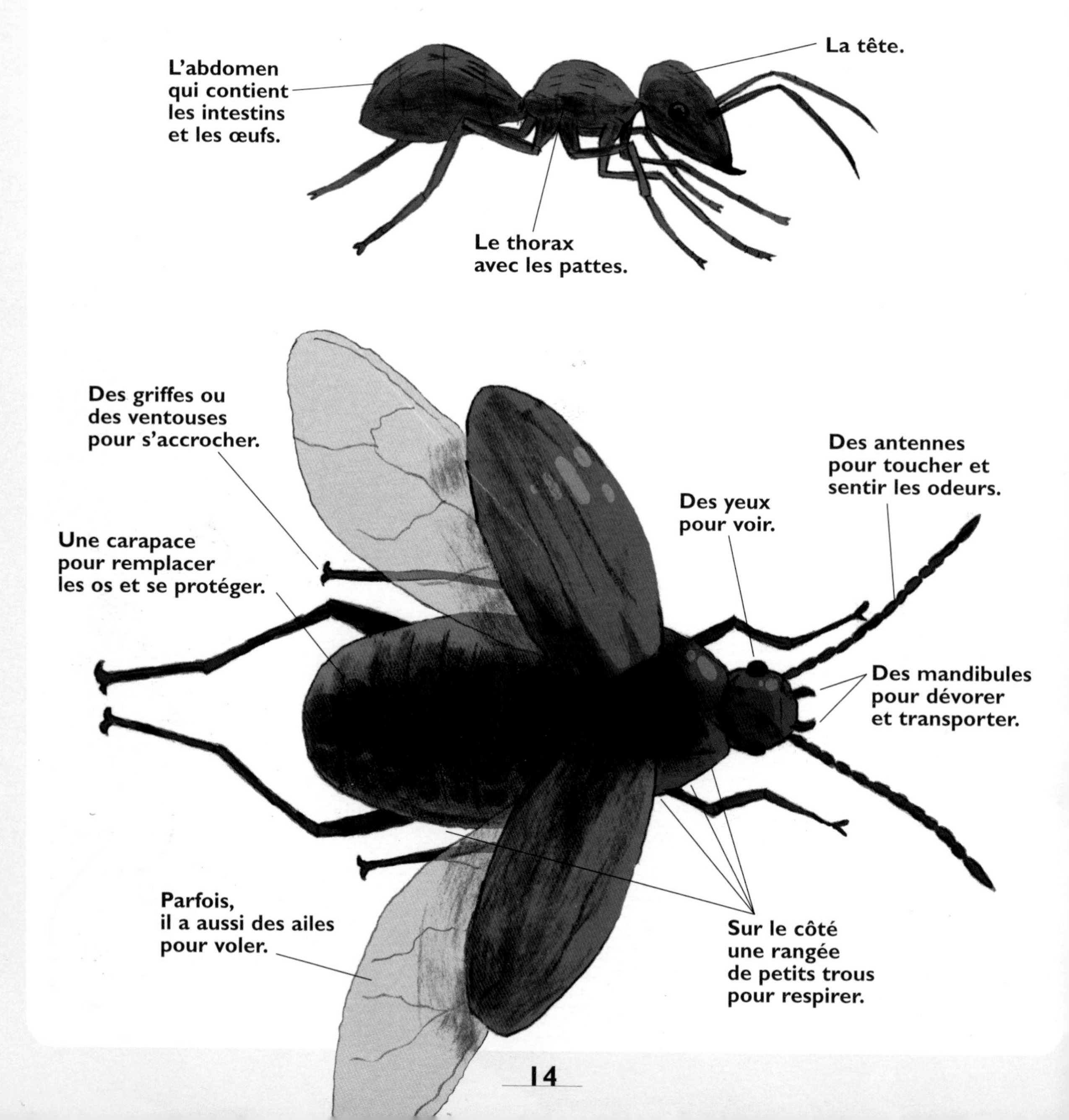

Les insectes mangent tout
ce qui est vivant ou mort :
des nectars sucrés,
des cadavres puants,
des champignons vénéneux.

Le **plus petit** insecte
est une **guêpe**,

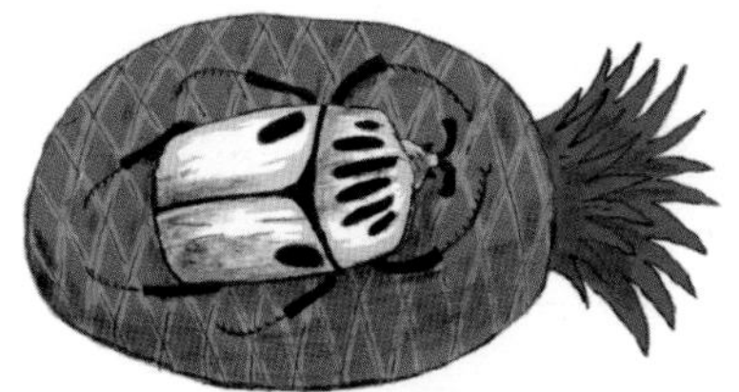

le **plus gros**,
c'est le **Goliath**,

le **plus long**
est un **phasme**.

Comment se défendre quand on est si petit ?

En s'enfuyant très vite.

En ayant **mauvais goût**.

En piquant.

En projetant de l'acide.

En se cachant.

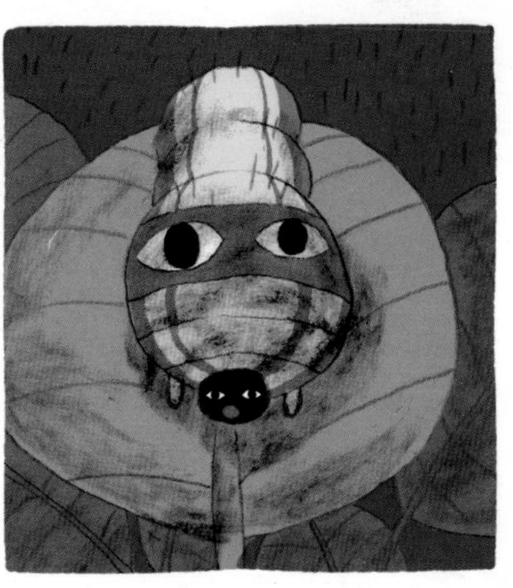

En faisant peur.

Un mammifère, qu'est-ce que c'est?

Un mammifère, c'est un animal à sang chaud, couvert de poils. Il donne naissance à des petits qui se nourrissent du lait de leur mère.

Le **bébé humain** se développe dans le ventre de sa mère pendant **9 mois**, l'**éléphanteau** pendant **22 mois**, la **musaraigne** pendant **10 jours**. Plus on est gros, plus c'est long. Tous ces bébés naissent **complètement formés**.

Le **lait** des mamans mammifères contient tout ce dont leurs bébés ont besoin. Le temps de **grandir** un peu et d'**apprendre à se nourrir** dans la nature. Les petits **dépendent** longtemps de leur mère. Ils ont **beaucoup à apprendre**. Il le font **en jouant** et **en imitant** les adultes.

Le **plus petit** mammifère est une **chauve-souris**. Elle est mille fois plus petite que le **plus gros** mammifère : la **baleine bleue**.

Les **membres** des mammifères peuvent être des **pattes** pour courir, des **mains** pour grimper, des **nageoires** pour nager, ou même, des **ailes** pour voler.

Beaucoup vivent **en groupe** pour mieux se défendre et protéger leur territoire.

L'hiver, il faut dépenser beaucoup d'énergie pour résister au froid. De plus, il y a peu de nourriture. Alors, **beaucoup** de mammifères **hibernent**.

Un oiseau, qu'est-ce que c'est ?

Un oiseau est un animal à sang chaud, couvert de plumes et qui pond des œufs. La plupart volent.

Regarde son **bec**, tu devineras ce qu'il mange.

Long bec : mange des **fruits**.

Gros bec : casse des **graines**.

Petit bec : cherche des **insectes** dans l'écorce.

Très long bec : aspire le **nectar**.

Bec plat : filtre la **vase**.

Bec crochu : déchire la **viande**.

Pourquoi chante-t-il ? Pour **défendre** son territoire et **séduire** les femelles.

L'oiseau soigne ses **plumes** : il les nettoie, les lisse, les baigne et les sèche au soleil.

Il fait très **froid**. Ce moineau gonfle ses plumes pour se faire un **manteau épais**.

Les **hirondelles** ont senti que les jours raccourcissaient.
Elles se réunissent avant le **grand départ**. Elles vont en Afrique passer **l'hiver au chaud**.

Les oiseaux font des nids

Un simple **trou** dans le sol.

Flottant sur un étang.

Dans un **creux d'arbre**.

Dans une
boîte à lettres.

Mais le plus souvent
dans les branches.

Je mange et je sors !

Dans l'œuf, le futur oiseau se nourrit du blanc et du jaune.

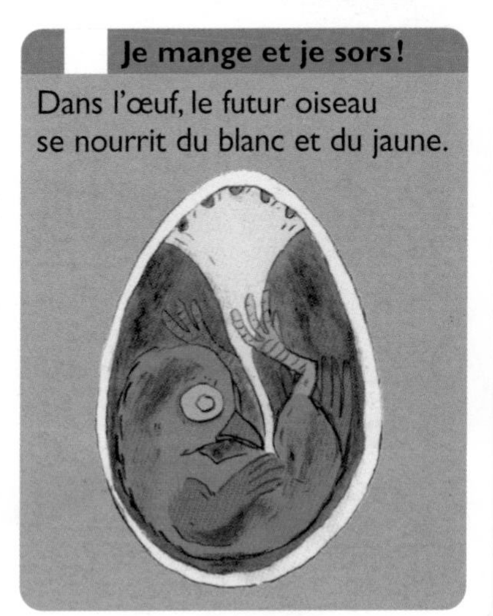

Un poisson, qu'est-ce que c'est ?

**Un poisson est un animal à sang froid.
Il respire sous l'eau grâce à ses branchies.
Il vit soit en eau douce, soit en eau salée.**

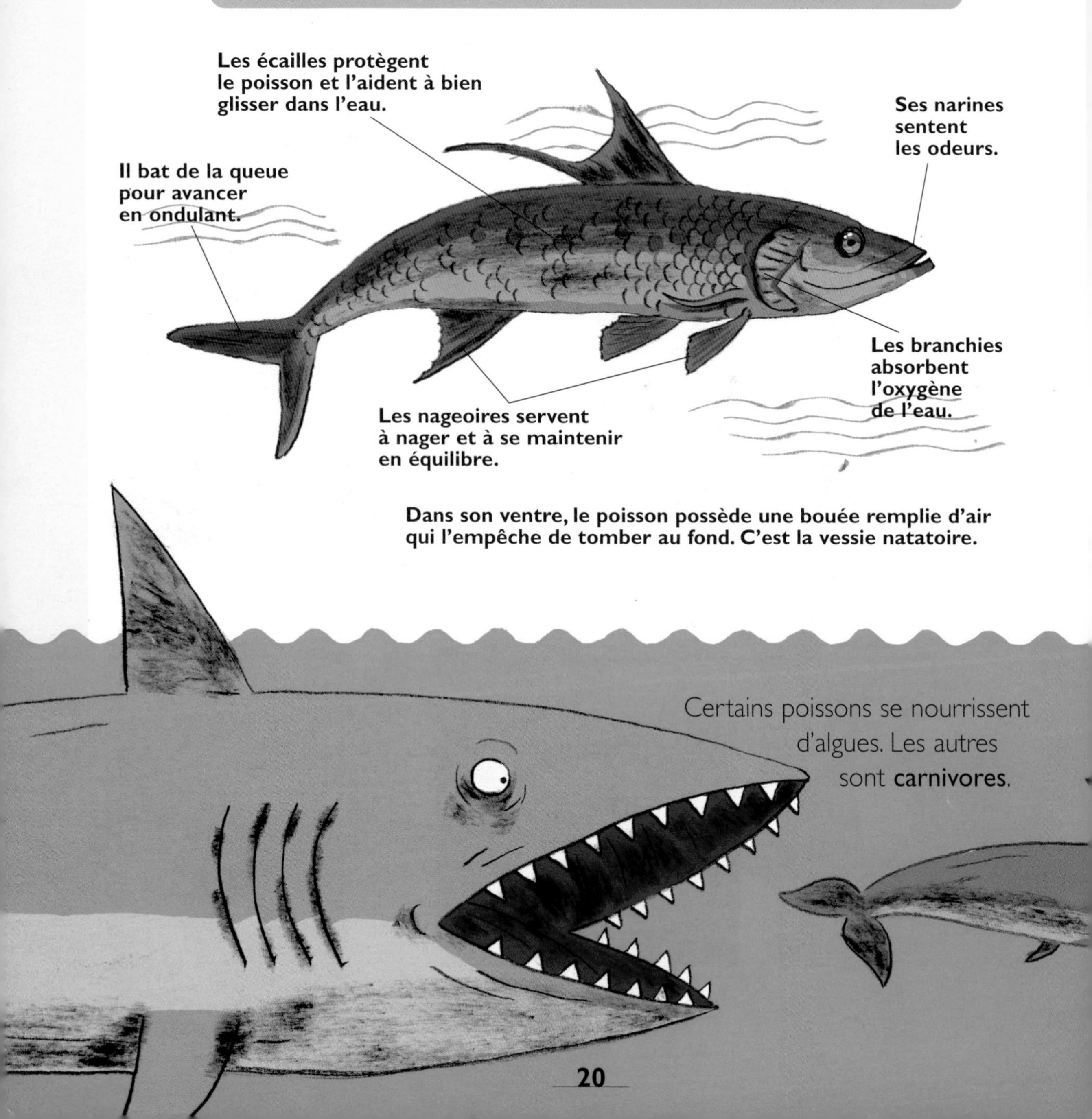

Les écailles protègent le poisson et l'aident à bien glisser dans l'eau.
Ses narines sentent les odeurs.
Il bat de la queue pour avancer en ondulant.
Les branchies absorbent l'oxygène de l'eau.
Les nageoires servent à nager et à se maintenir en équilibre.

Dans son ventre, le poisson possède une bouée remplie d'air qui l'empêche de tomber au fond. C'est la vessie natatoire.

Certains poissons se nourrissent d'algues. Les autres sont **carnivores**.

La plupart sont des poissons **osseux** : leurs **arêtes** sont des **os** très fins.

Les autres ont un **squelette en cartilage**, plus souple. Ce sont des **chasseurs**.

Les petits poissons **vivent** souvent **en bancs**. Ils bougent tous ensemble, alors les prédateurs ont du mal à isoler une proie.

Les **proies** peuvent être très **petites ou énormes**.

Un reptile, qu'est-ce que c'est ?

Un reptile est un animal à sang froid : il est recouvert d'écailles. Il se chauffe au soleil pour pouvoir bouger.

Les serpents

Le **serpent** n'est pas gluant, il est **doux**, **sec** et **frais**. Il ne mâche pas sa proie, il l'**avale** entière. Il la **tue en l'étouffant** ou **en la mordant**.

Ce **python** étouffe la **gazelle** en la serrant un peu plus à chaque respiration.

Ce **cobra** mord les fesses du pauvre **singe** et lui injecte son **venin**.

Les lézards

La plupart des **lézards** sont **carnivores**. Ils mangent des insectes et des petits animaux.

Le lézard cornu lance des jets de sang avec ses yeux.

Le gecko a des ventouses sous les pattes. Il vit près des hommes, dans les maisons. Il mange les moustiques.

Le basilic est capable de courir sur l'eau.

On dit que la **tortue** porte sa **maison** sur son dos, c'est plutôt une solide **forteresse**.

Une fois à l'intérieur, elle **bouche les trous** avec ses **griffes**.

Le seul **danger**, c'est **l'aigle** qui la lâche de très haut pour faire exploser sa carapace.

Les tortues

La **tortue alligator** est **terrifiante**. Elle attire ses proies en agitant sa petite **langue rose** qui ressemble à un ver. Comme toutes les tortues, elle n'a pas de dents mais des **mâchoires** tranchantes.

Les crocodiles

Ils existaient déjà du temps des **dinosaures**.

Le **crocodile marin** est le plus grand des reptiles.

Il pleure des **larmes** de crocodiles… Mais il n'est pas triste : il nettoie ses yeux pleins de sel.

Le crocodile **avale des pierres** pour pouvoir rester au fond de l'eau.

LA **SAVANE**

Dans la savane, il n'y a que 2 saisons.

La saison du FEU

Pas une goutte de pluie, il fait **très chaud**.
L'herbe grille, tout est **sec**.
C'est une **saison difficile**
pour les animaux.

D'immenses **troupeaux quittent la savane** à la recherche de nourriture.

Le **feu** prend tout seul.
La savane **brûle**.

Ceux qui restent se groupent près des **rares points d'eau**.

C'est **dangereux** car les prédateurs sont restés et ils ont faim.

<u>La saison de l'EAU</u>

De **gros orages** apportent beaucoup de pluie.
Les **marigots** se remplissent.
L'herbe repousse. Les arbres se couvrent de **feuilles tendres**.
Il y a des **fleurs partout**. Les **insectes** sont très nombreux.
La savane grouille de vie !

Comme la **nourriture**
est **abondante**,
les **troupeaux reviennent**
et se cachent
dans l'herbe haute.

C'est l'époque des **naissances** !

LA SAVANE AFRICAINE

Manger ou être mangé

La savane résonne de cris, de chants, de hurlements. L'herbe pousse, les herbivores broutent l'herbe, les carnivores mangent les herbivores. C'est la vie de tous les jours, dans la savane.

Les lionnes ont **tué** un buffle.

Le **lion**, le **roi**, se sert le premier. Il prend les meilleurs morceaux.

Puis c'est le tour des **lionnes** et des **lionceaux**.

Les **hyènes** sont déjà là et veulent leur part.

Les **chacals** et les **vautours** se disputent les restes.

Les **mouches** finissent de nettoyer la carcasse.

Il ne reste plus que quelques **os blancs**.

Technique de chasse !

Pour chasser, la lionne avance contre le vent. Ainsi, le buffle ne peut pas sentir son odeur.

Le **lion** a bien mangé. Il **digère** à l'ombre.
Les **herbivores** n'ont pas peur, ils peuvent brouter tranquillement.

Le bousier

Le bousier roule une boulette de la bouse de l'éléphant. Il va l'enterrer et y pondre un œuf. La larve qui en sortira mangera la boulette. Miam !

LA SAVANE AFRICAINE

C’est la grand-mère qui commande

La **vieille éléphante** pousse un barrissement sonore et prend la **tête du troupeau**. Elle est suivie de ses **filles**, ses **sœurs** et des **éléphanteaux**.

Il n’y a **pas de mâle** dans le troupeau d’éléphants, ils vivent tout seuls. La grand-mère a **50 ans**, elle connaît les chemins, les rivières et les dangers. Elle a une «**mémoire d’éléphant**».

L’éléphant

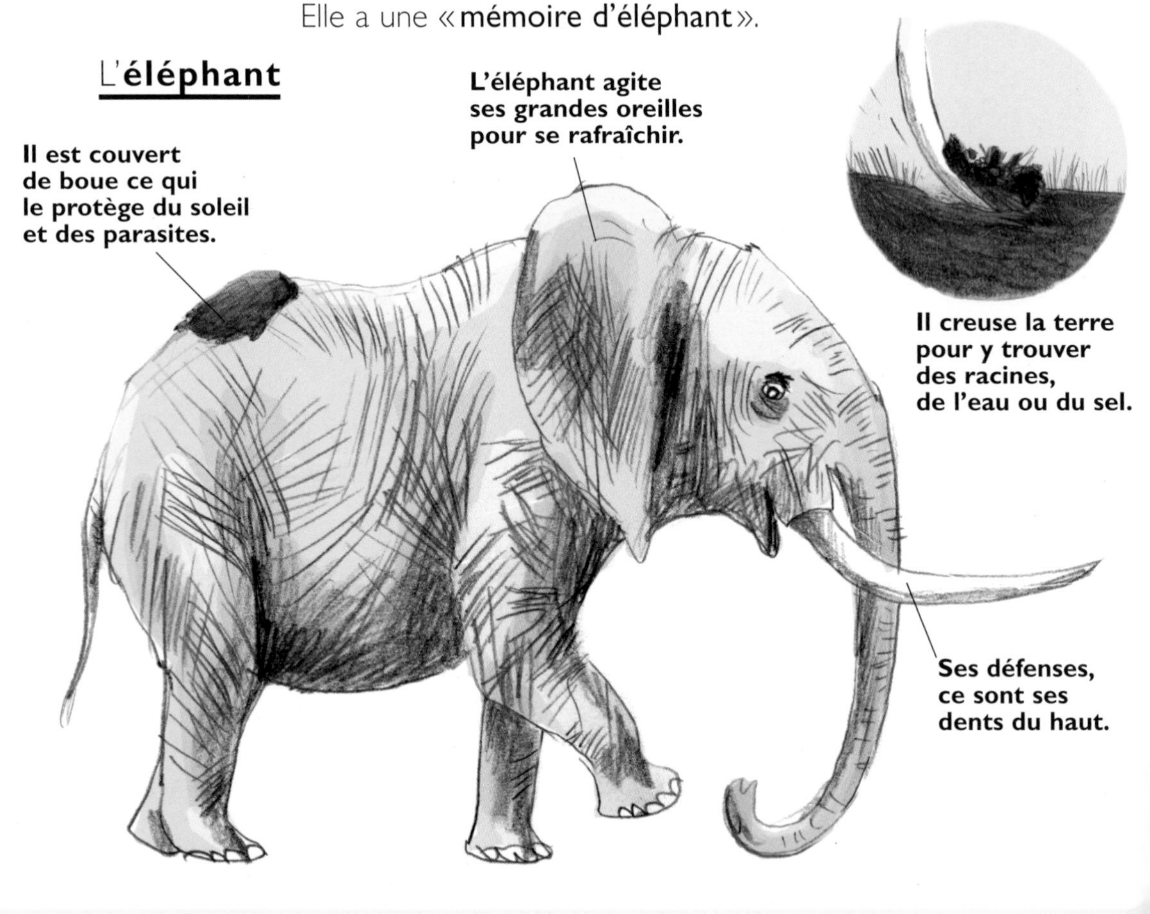
L’éléphant agite ses grandes oreilles pour se rafraîchir.
Il est couvert de boue ce qui le protège du soleil et des parasites.
Il creuse la terre pour y trouver des racines, de l’eau ou du sel.
Ses défenses, ce sont ses dents du haut.

L'**éléphanteau** est élevé tendrement.
Il apprend qu'avec la **trompe**, on peut faire quantité de choses :

Tenir la queue de sa maman.

Arracher un arbre.

Cueillir délicatement un fruit.

Boire à la paille.

S'asperger d'eau et de poussière.

Respirer, même sous l'eau.

Caresser…

et **être caressé**.

L'éléphant d'Asie

Son cousin d'Asie est plus petit, ses oreilles sont plus courtes et la femelle n'a pas de défenses.

Les grands troupeaux d'herbivores

À chacun son herbe

Le **zèbre** coupe
avec ses incisives
les tiges des **hautes herbes**.
Ce n'est pas le meilleur,
mais il en mange beaucoup.

La **gazelle** préfère
les **jeunes pousses** tendres.

Le **gnou** mange **le reste**.

Les troupeaux se rassemblent pour mieux se protéger des **prédateurs**. Leur seule défense, c'est la **fuite**. C'est pourquoi les nouveau-nés qui naissent peuvent **courir** tout de suite. Lorsqu'il n'y a plus d'herbe, les troupeaux **migrent** vers d'autres régions.

Le **zèbre**

Le zèbre est un cousin du cheval.

Quand il s'enfuit en **zigzaguant**, la lionne ne voit que des rayures dans tous les sens.

La **gazelle**

La gazelle est une cousine de la chèvre.

Gracieuse et légère, elle fait des **bonds** géants.

Le **gnou**

Le gnou est un cousin de la vache.

Lorsqu'ils franchissent les fleuves, les gnous se bousculent, se piétinent… et se noient au **grand régal des crocodiles**.

La course ou la vie !

Le **guépard**

Le guépard est l'animal le plus rapide. Il peut courir à 110 km/h, mais pas très longtemps.

Les **petits** restent longtemps avec leur maman. Ils sont très **fragiles**.

La mère doit bien les **cacher** sinon les **aigles** les dévorent.

Le guépard est un **prédateur**. Il choisit comme proie la plus petite, la plus vieille ou la plus faible des **gazelles**. Il ne reste ainsi que les meilleures et ce sont elles qui feront les petits les plus forts, les plus rapides.

Le guépard **s'approche** d'abord le plus près possible des gazelles.

Dès qu'il est repéré par une gazelle, il **fonce**.

Il a **choisi la gazelle** qui s'est tordu la patte dans les rochers et **qui boite**.

La gazelle s'enfuit en bondissant. Le guépard la poursuit et la culbute d'un **coup de patte**.

Il la mord à la gorge, **c'est fini**.

LA SAVANE AFRICAINE

Les « longs cous »

Ils voient de haut pour surveiller les prédateurs

La **girafe**

Avec sa longue langue noire, la girafe cueille les feuilles sur les plus hautes branches de l'acacia.

La girafe est le plus grand de tous les animaux.

C'est pourquoi elle **dort debout** et doit écarter les pattes pour boire. Les mâles se battent à **coups de cou**.

Naissance acrobatique

La femelle met le girafon au monde sans se coucher, alors il tombe de haut et sur les fesses !

L'**autruche**

L'autruche est le plus grand de tous les oiseaux.

Elle mange de l'**herbe** et de **petits animaux**.

Elle ne vole pas, mais court très vite.

Un buisson ?

Non, une autruche qui a peur.

L'autruche accompagne les troupeaux pour se nourrir des **insectes** dérangés par les sabots. En échange, comme elle voit loin, elle **fait la garde**.

Un papa poule

Le mâle creuse un **grand nid**.

Ses femelles **pondent** dedans.

Et dès l'**éclosion**, c'est le **papa** qui s'occupe des poussins. Et ça ne rigole pas !

LA SAVANE AFRICAINE

Le roi... de la sieste

Le **lion**

Il est lourd, puissant et brutal.

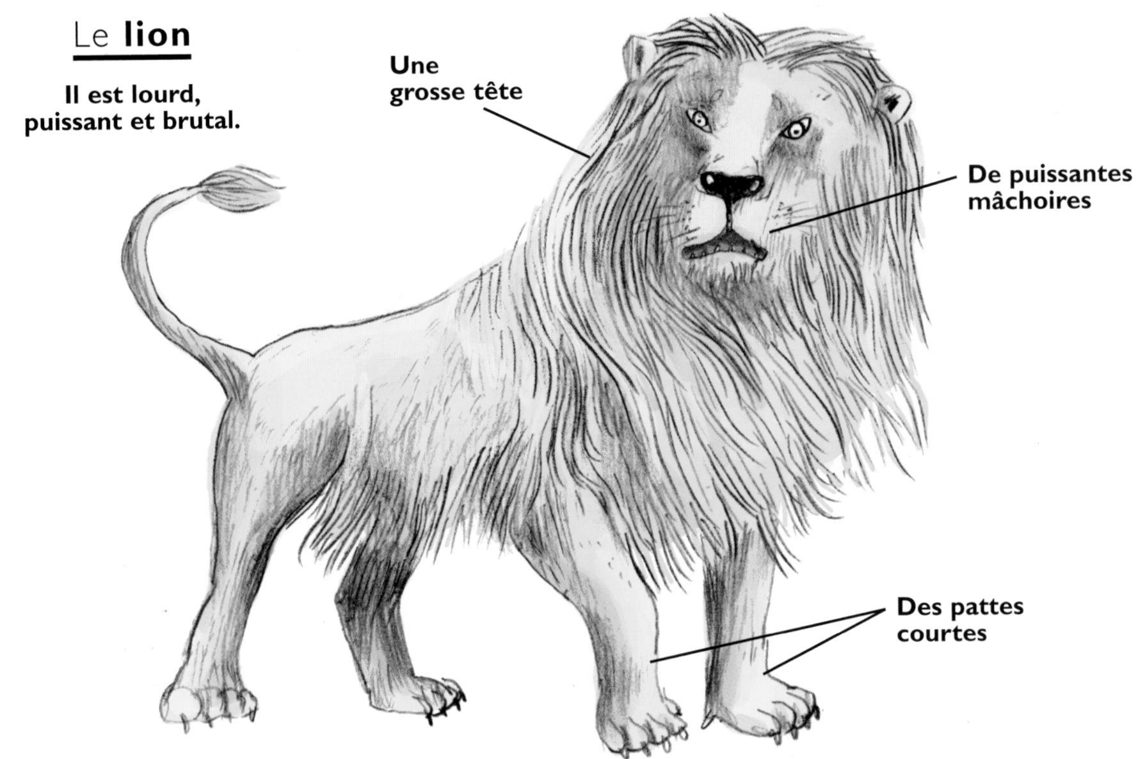

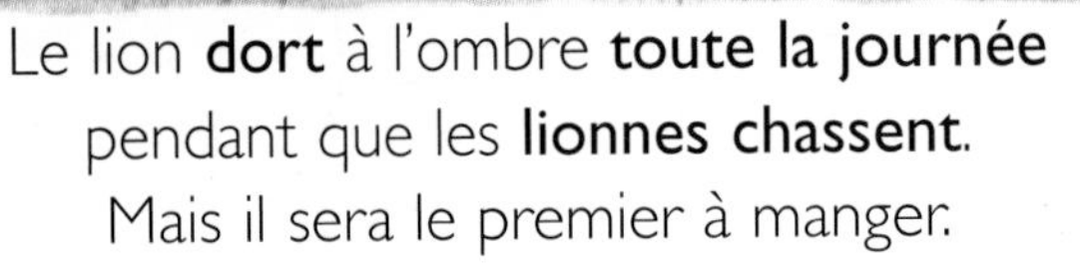

Le lion **dort** à l'ombre **toute la journée** pendant que les **lionnes chassent**. Mais il sera le premier à manger.

Roooaaa! À la **tombée de la nuit**, il **rugit** pour montrer à tous les animaux du coin que leur roi est là.

Les **lionceaux jouent** à se poursuivre, attaquer, bondir.
Ils essayent leurs **griffes**, leurs **dents**.
Ils **apprennent à chasser** en regardant leurs mères.

Leçon 1. Choisir le **meilleur moment**, comme le **soir** quand les animaux vont boire.

Leçon 2. Choisir la **proie** : trop jeune ou trop vieille pour pouvoir courir vite.

Leçon 3. Se **cacher** dans les herbes pour sauter à la gorge du zèbre poursuivi par les autres lionnes.

Leçon 4. **Regarder** : des vautours dans le ciel, c'est une proie déjà tuée.

Leçon 5. **Écouter** : des ricanements de hyènes, c'est une proie à voler.

Pourquoi une crinière ?

Pour protéger son cou dans les combats.

Autour d'un cadavre

L'hyène

L'hyène est carnassière. Elle mange des animaux vivants ou morts.

Quand elle est excitée, elle **ricane** bruyamment.

La **mère déplace** souvent **ses petits** pour les mettre **à l'abri** des mâles et des lions.

Le vautour

Le vautour est un rapace qui se nourrit d'animaux morts.

Les vautours **planent** des heures à la recherche d'un cadavre.

Les lions n'ont plus faim, ils sont partis. Avec sa **puissante mâchoire**, l'hyène broie les os de la carcasse qu'ils ont laissée. Elle avale tout, puis **recrache** ce qui n'est pas bon : les **poils** et les **sabots**.

Les **vautours** se disputent les **restes**. Certains ont un **bec puissant** pour déchirer la peau. D'autres préfèrent les intestins. Le **percnoptère** au bec fin cure les os.

Pourquoi sont-ils chauves ?

Pour ne pas salir leurs plumes !

LA SAVANE AFRICAINE

Le piquant et le bulldozer

Le **babouin**

Le babouin vit en groupe.

Le **porc-épic**

Le porc-épic est recouvert de piquants.

Le jeune babouin est **trop curieux**.
Le porc-épic **recule** en criant.

Attention, il secoue ses **piquants** pour prévenir qu'il va charger.

Il se retourne et **attaque**.

Le grand mâle babouin chasse le porc-épic en montrant ses **canines**.

L'imprudent **file** en hurlant retrouver sa tribu.

Aujourd'hui, le petit a **appris** quelque chose : **le porc-épic pique** !

La **tribu des babouins** vit à terre mais la nuit, ils dorment dans les arbres ou les rochers. Ils mangent de tout, même des **scorpions** et des **nids d'abeilles**. Ce qu'ils aiment plus que tout, c'est se chercher des **poux**.

Le **phacochère**

Comme le porc-épic, le phacochère creuse la terre pour y trouver des racines.

Il se met **à genoux** pour brouter. Il a des protections.

Les mâles s'affrontent **face à face**.

Les costauds

Le **rhinocéros**

Le rhinocéros a l'air d'avoir mauvais caractère et c'est vrai. Il voit mal mais il sent, il écoute et il charge !

Il mange l'**herbe** et les **feuilles** des buissons.

Pour **marquer son territoire**, il fait de gros tas de bouse.

Si un autre mâle ne respecte pas le territoire, ils vont **se battre**, à mort.

La **corne** coûte très cher car on croit qu'elle a des pouvoirs magiques, alors les gardes préfèrent la couper pour que le rhinocéros ne soit pas tué.

Nettoyage à domicile

Les pique-bœufs débarrassent les costauds de leurs parasites.

Le **buffle**

Lourdes cornes et cou puissant, le buffle a de quoi se défendre.

Le buffle doit **boire beaucoup** tous les jours : il vit près des lacs, en troupeau. Là, il se nourrit d'**herbe** et de **roseaux**.

Une **meute d'hyènes** approche en ricanant. Le troupeau de buffles se rassemble pour les affronter, femelles et petits au milieu.

Dans le marigot

Le **crocodile**

L'oiseau ne risque rien, il nettoie les dents du monstre.

Le crocodile est un reptile. Pour être en forme, il a besoin de se chauffer au soleil.

La femelle pond ses **œufs** dans le sable de la berge. Quand les jeunes éclosent, la mère les attrape **dans sa gueule** pour les porter à l'eau.

Le crocodile n'a **pas mangé** depuis presque **un an**. Sans bruit, sans vagues, il s'approche lentement du rivage.

Soudain il fait un bond formidable hors de l'eau et referme ses **puissantes mâchoires** sur la tête du gnou.

Il l'entraîne dans l'eau pour le **noyer**.

Il va mettre **2 jours** à le manger.

L'hippopotame

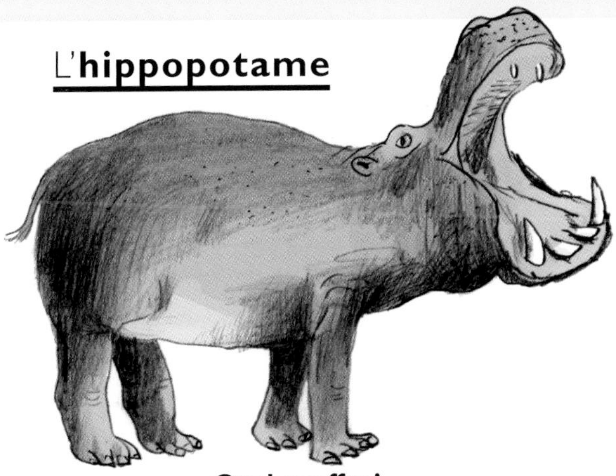

Quel gouffre !
L'hippopotame pourrait avaler un mouton entier, mais heureusement, il est herbivore.

Les hippopotames **sortent** de leur mare **la nuit**, tous ensemble, pour brouter l'herbe.

Le jour, l'hippopotame reste **dans l'eau** à l'abri du soleil. Là, il se sent très léger. Il peut même marcher sur le fond.

Maman hippopotame **allaite** son petit **sous l'eau**.

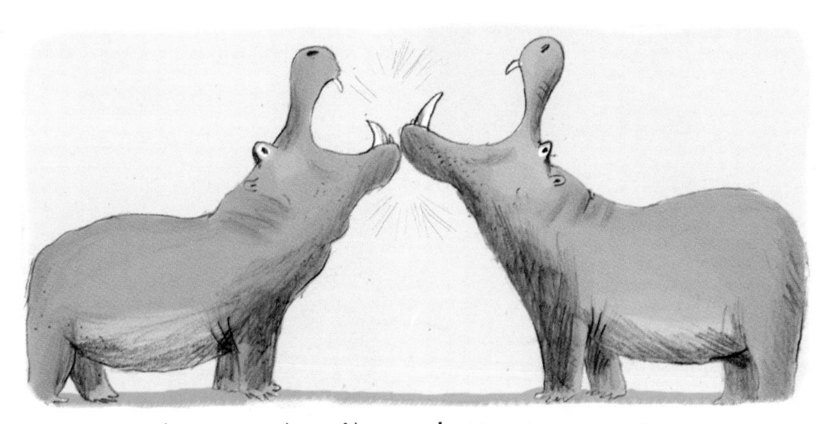

Les grands mâles **se battent souvent**, contre les crocodiles ou les autres mâles, pour **défendre** leur **territoire** et leur **famille**.

Crème solaire

Pour se protéger du soleil, la peau de l'hippopotame fabrique une crème rouge. Au soleil, il a l'air tout cuit.

LA SAVANE AMÉRICAINE

Alerte ! Une attaque !

La savane américaine est un océan d'herbe parsemé d'îles : les termitières.

Le **fourmilier**

Le fourmilier possède une longue langue gluante pour capturer les insectes.

1 Le fourmilier a ouvert la **termitière** d'un **coup de griffe**. Il y enfile son **long museau**.

2 Les **soldats termites** se précipitent **au combat**. Ils sont armés d'énormes **mandibules** et lancent des **jets de poison**.

3 Le fourmilier **s'en moque** et avale des milliers de termites. Mais il ne mange pas tout d'un coup… **il reviendra**.

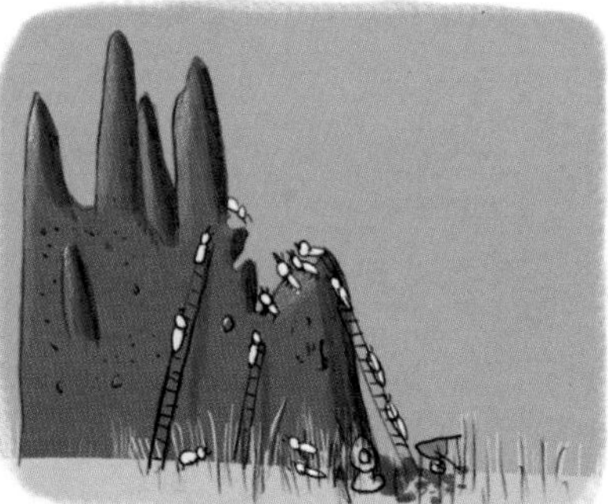

4 Les termites n'ont plus qu'à **tout réparer**.

Les **termites**

Les termites sont des millions à vivre à l'intérieur d'une termitière, avec chacun son rôle précis : soldat, ouvrier… La termitière peut être aussi haute qu'une maison. Les murs sont faits de terre et de salive.

Dans la termitière il y a :

1. La **chambre royale** où vivent le **petit roi** et sa **grosse reine**. C'est elle qui pond tous les **œufs**.

2. Les **chambres** des œufs et des larves.

3. Les **réserves** de nourriture.

4. Le **jardin** du champignon.

Que de travail pour les termites ouvriers !

Récolter le bois et la terre.
Construire la termitière.
Et **nourrir** tout le monde.

Les termites mangent le **champignon**. Il se nourrit du bois que lui apportent les ouvriers.

Le **dromadaire** ne perd pas une goutte d'eau : même ses crottes sont toutes sèches.

DANS LE **DÉSERT**

Il est très difficile de vivre dans le désert.

Il ne **pleut presque jamais**.
Il fait très **chaud le jour** et **froid la nuit**.

On y trouve **peu de plantes**.
Les animaux doivent savoir vivre sans eau, se protéger de la chaleur et trouver leur nourriture.

Chacun son truc pour survivre.

L'**iguane** n'a pas a besoin de boire.
Il trouve l'eau dans les insectes qu'il dévore.

La **vipère** s'enfouit sous le sable.

Des **tempêtes** soulèvent le sable.

Le **fennec** chasse la nuit.

LE DÉSERT AFRICAIN

Le boss du désert

Le Sahara est le plus grand et le plus chaud de tous les déserts. C'est là que vit le dromadaire.

Non, sa bosse n'est pas remplie d'eau mais de graisse qu'il est capable de transformer en eau.
Grâce à son long cou, il peut aussi bien brouter l'herbe que les buissons. Il ne craint pas les épines.
Deux rangées de cils pour protéger ses yeux du sable et du soleil.
Très mauvaise haleine.
S'il a la lèvre fendue, c'est qu'il boit sa morve, il ne faut rien perdre.
Le dromadaire
Des pattes larges pour ne pas s'enfoncer et couvertes de fourrure pour les protéger du sable brûlant.

Il n'y a **plus de dromadaires sauvages**.
Ce sont les hommes qui les élèvent.

Lorsqu'il trouve de l'eau,
il peut en **boire énormément**
en peu de temps
et **même** de **l'eau salée**.

Une ou deux ?

C'est le chameau qui a deux bosses. Il vit en Asie.

LE DÉSERT AFRICAIN

Plus malins que le venin

La **mangouste**

La mangouste est de petite taille. Elle chasse les serpents.

Elle pourrait se contenter d'**insectes**, de **grenouilles** et de **lézards**, mais elle aime tellement le **serpent**!

Elle **chasse** comme un chat. Elle **tourne autour** du serpent et soudain, elle l'**attaque**. Une **morsure** derrière la tête, le serpent est mort.

Le **suricate**

Le suricate est une mangouste.

Il se dresse sur ses **pattes arrière** pour faire le **guet**.

Les **suricates** vivent en groupe bien organisé dans de **grands terriers**.

Lorsqu'ils chassent, une **sentinelle** surveille le ciel et un **baby-sitter** garde les petits dans le terrier.

Les suricates mangent tout ce qui est petit et vivant, avec une préférence pour le... **scorpion** !

Un **aigle** s'approche, très haut dans le ciel.

La sentinelle pousse un **cri**.

Toute la tribu plonge **à l'abri** dans le terrier.

Le dîner du petit renard : froid ou chaud ?

La **nuit** vient de tomber.
Le fennec pointe son museau
à la sortie de son **terrier**. Il a **faim**.

Le **fennec**

Le fennec est un petit renard du désert.

Il a de grandes oreilles pour se rafraîchir au soleil.

Un **lézard** a bougé
sur la pierre.

Le fennec **fonce** et referme ses dents
sur la **queue** qui frétille.

Le lézard l'a **cassée lui-même** avant de se cacher sous la pierre.

Le fennec **mange** la queue.

La **gerboise**

La nuit, elle ratisse le sable avec ses griffes pour trouver des graines.
La gerboise a de longues pattes arrière pour faire des bonds géants.

Grat, grat, grat !
Les grandes oreilles du fennec
ont entendu le bruit.
C'est une gerboise qui ouvre
la **porte du terrier**
qu'elle avait fermé pour la journée.
Elle part à la **recherche de graines**.
Le fennec s'approche sans bruit,
mais la gerboise l'a vu et en trois
bonds géants, elle a disparu.
Mauvaise chasse ce soir,
notre fennec devra se contenter
de quelques termites.

LE DÉSERT AMÉRICAIN

Le pays des cactus géants

La **mygale**

La mygale est une araignée.

Elle chasse la nuit.
Sa morsure est venimeuse, mais pas pour les hommes !

La **mygale** a creusé un trou, puis l'a recouvert d'une **toile**. Un **piège parfait** !

Dès qu'une **proie** touche la toile, la mygale **bondit** hors de son trou pour la dévorer.

Une **guêpe** fine et noire **attaque** la mygale qui se défend en hérissant ses poils. La guêpe réussit à la piquer, puis elle enterre vivante la mygale qui servira de **repas** aux **larves**.

Le **serpent à sonnette**

Le serpent à sonnette fait sonner sa queue pour effrayer ses ennemis.

Le **serpent à sonnette** peut chasser dans le **noir complet** car il sent la **chaleur** de ses proies.

Il peut repérer le **lapin** dans son terrier.

L'opossum

Dès qu'un **prédateur** s'approche, l'**opossum fait le mort**, la bouche ouverte et la langue pendante. Il **sent** très **mauvais**.

Il se laisse même mordre sans bouger.

Le **puma**, qui ne mange que de la viande fraîche, l'abandonne, **dégoûté**.

L'opossum vit souvent près des hommes. Il dévaste leurs **poubelles**, leurs **fleurs**, et mange leurs **poules**.

La mère donne naissance à **25 larves**, mais comme elle n'a que 10 mamelles, les dernières arrivées mourront de faim.

DANS LES **OCÉANS**

Les animaux vivent là où il y a de la nourriture. Dans les eaux peu profondes, la lumière permet aux algues de pousser : les animaux les broutent. Au large, beaucoup d'animaux mangent du plancton.

Et partout il y a ceux qui mangent les autres : les prédateurs et les mangeurs de prédateurs. Pour ne pas être dévoré trop vite, il faut…

…être transparent comme la méduse,

...vivre en banc,
comme la sardine,
.avoir la couleur
du fond,
mme le carrelet.

Les géants de la mer

**L'océan est très profond.
Plus on descend, plus il fait noir.**

La **baleine**

**La baleine bleue est une baleine à fanons.
C'est le plus grand de tous les animaux du monde. Elle se nourrit de krill.**

La baleine est un **mammifère**, elle a des **poumons** et revient à la surface pour **respirer**.

Le **baleineau** tête sous l'eau le lait de sa mère.

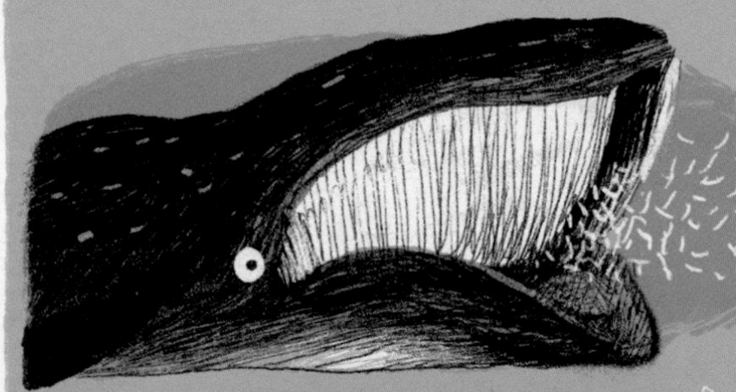

La baleine **ouvre grand la bouche**.
La bouche se remplit d'eau pleine de krill.

La baleine ferme ses fanons et recrache l'eau à travers.
Le **krill reste coincé** dans la bouche.

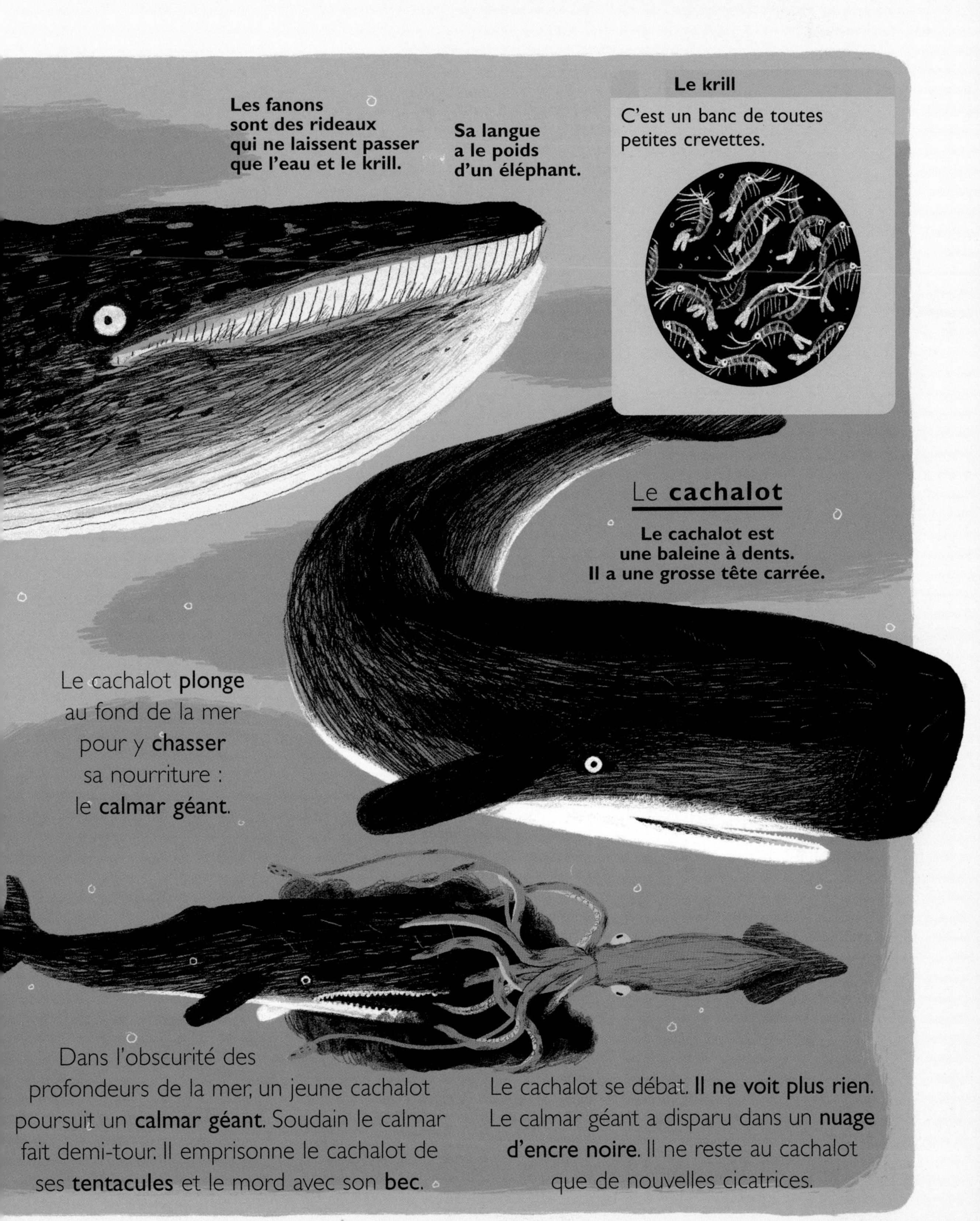

Les fanons sont des rideaux qui ne laissent passer que l'eau et le krill.

Sa langue a le poids d'un éléphant.

Le krill

C'est un banc de toutes petites crevettes.

Le **cachalot**

Le cachalot est une baleine à dents. Il a une grosse tête carrée.

Le cachalot **plonge** au fond de la mer pour y **chasser** sa nourriture : le **calmar géant**.

Dans l'obscurité des profondeurs de la mer, un jeune cachalot poursuit un **calmar géant**. Soudain le calmar fait demi-tour. Il emprisonne le cachalot de ses **tentacules** et le mord avec son **bec**.

Le cachalot se débat. **Il ne voit plus rien.** Le calmar géant a disparu dans un **nuage d'encre noire**. Il ne reste au cachalot que de nouvelles cicatrices.

Chasse dans la mer

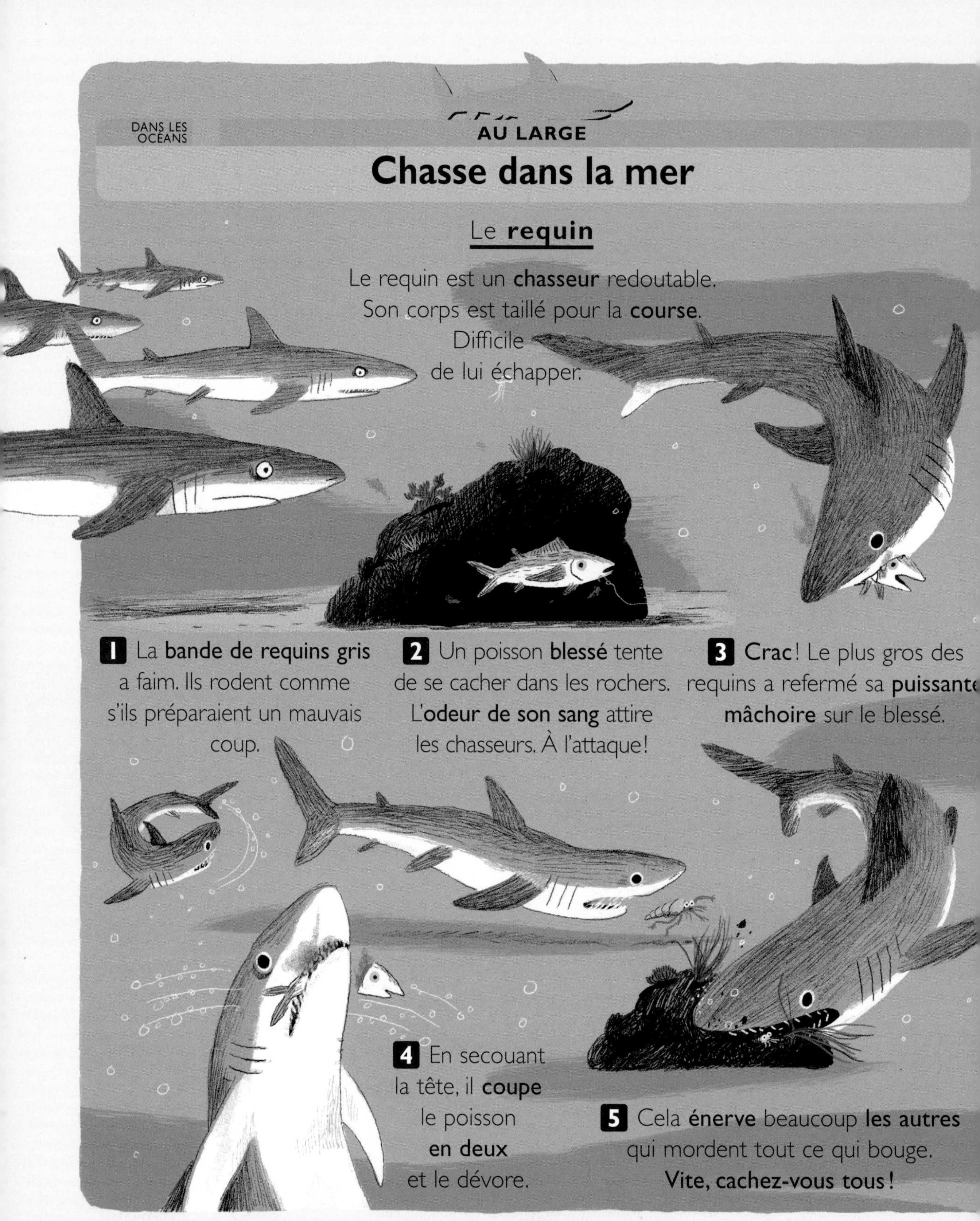

Le **requin**

Le requin est un **chasseur** redoutable. Son corps est taillé pour la **course**. Difficile de lui échapper.

1 La **bande de requins gris** a faim. Ils rodent comme s'ils préparaient un mauvais coup.

2 Un poisson **blessé** tente de se cacher dans les rochers. L'**odeur de son sang** attire les chasseurs. À l'attaque !

3 **Crac** ! Le plus gros des requins a refermé sa **puissante mâchoire** sur le blessé.

4 En secouant la tête, il **coupe** le poisson **en deux** et le dévore.

5 Cela **énerve** beaucoup **les autres** qui mordent tout ce qui bouge. **Vite, cachez-vous tous !**

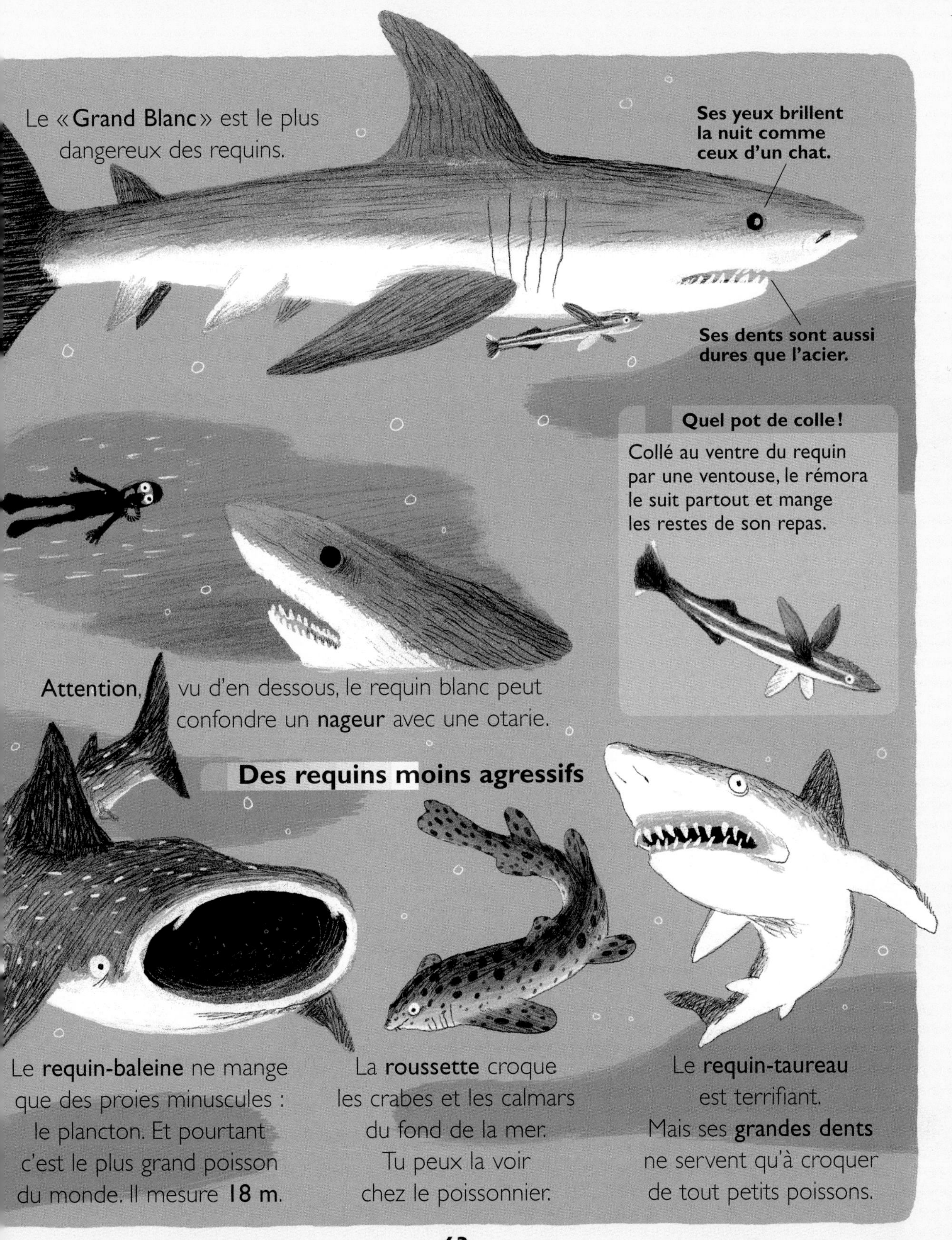

Ses yeux brillent la nuit comme ceux d'un chat.
Ses dents sont aussi dures que l'acier.

Le « **Grand Blanc** » est le plus dangereux des requins.

Quel pot de colle !

Collé au ventre du requin par une ventouse, le rémora le suit partout et mange les restes de son repas.

Attention, vu d'en dessous, le requin blanc peut confondre un **nageur** avec une otarie.

Des requins moins agressifs

Le **requin-baleine** ne mange que des proies minuscules : le plancton. Et pourtant c'est le plus grand poisson du monde. Il mesure **18 m**.

La **roussette** croque les crabes et les calmars du fond de la mer. Tu peux la voir chez le poissonnier.

Le **requin-taureau** est terrifiant. Mais ses **grandes dents** ne servent qu'à croquer de tout petits poissons.

Plein de bras pour manger

La **pieuvre**

8 tentacules garnies de ventouses

La pieuvre a un corps musclé.

Deux grands yeux qui ressemblent aux nôtres

Une bouche en forme de bec

Cachée sur le fond, la pieuvre guette le **crabe** ou la **langouste**.

Elle capture sa proie avec ses **tentacules** et la porte à sa bouche.

Comme elle est molle, elle peut se glisser dans les **fentes des rochers**.

Il **nage** en rejettant l'eau de son corps.

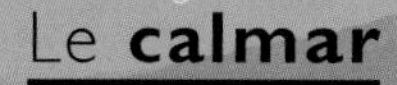

Le **calmar**

Le calmar vit en banc.

La **méduse**

La méduse a une forme de cloche, avec de longs tentacules piquants pour paralyser ses proies.

L'été, la méduse **s'échoue** souvent **sur les plages**. Elle ressemble à un tas de gelée.

N'y touche pas, **ça pique** !

La tortue-luth ne mange que des méduses.

Les **sacs en plastique** qui flottent ressemblent aux méduses, alors la tortue les avale et elle **s'étouffe**.

Les « longs museaux »

Le **poisson-trompette**

Le poisson-trompette se tient immobile, la tête en bas, comme une algue jaune.

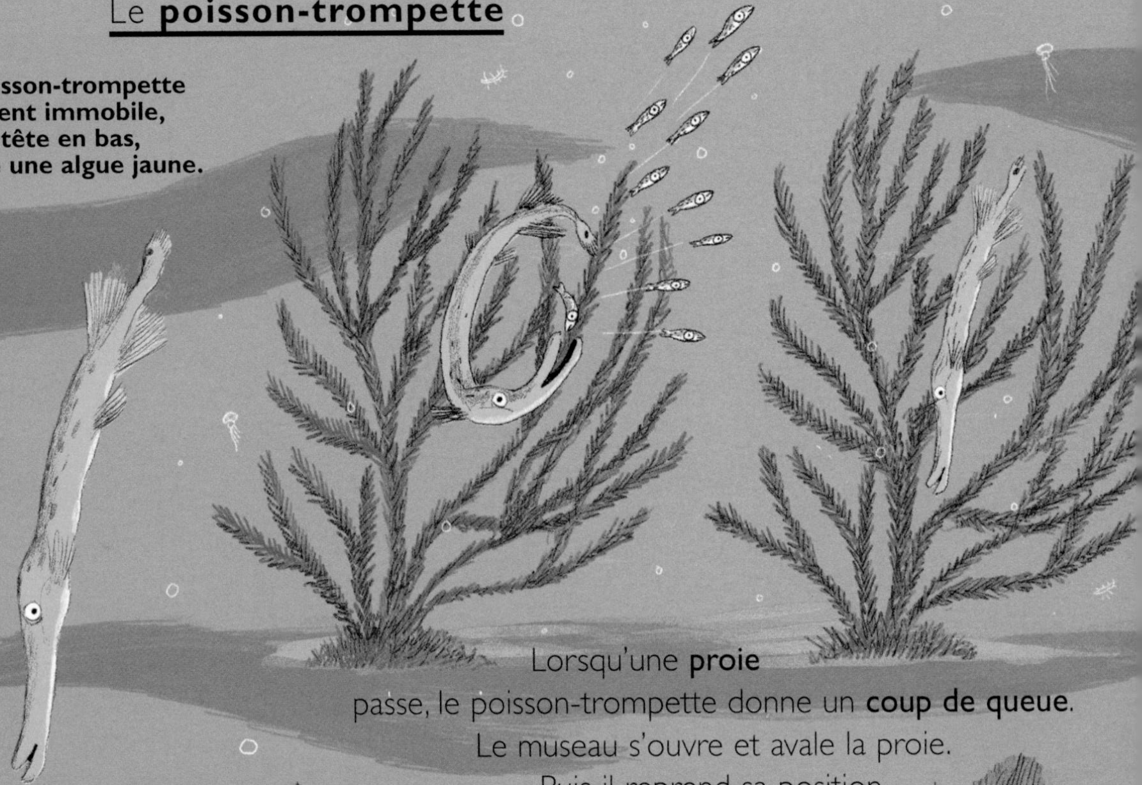

Lorsqu'une **proie** passe, le poisson-trompette donne un **coup de queue**. Le museau s'ouvre et avale la proie. Puis il reprend sa position.

L'**espadon**

L'espadon est un gros poisson qui nage très vite grâce à ses nageoires en forme de voiles.

L'espadon tue les calmars avec son **rostre**, une **longue épée** aplatie.

Le **poisson-scie**

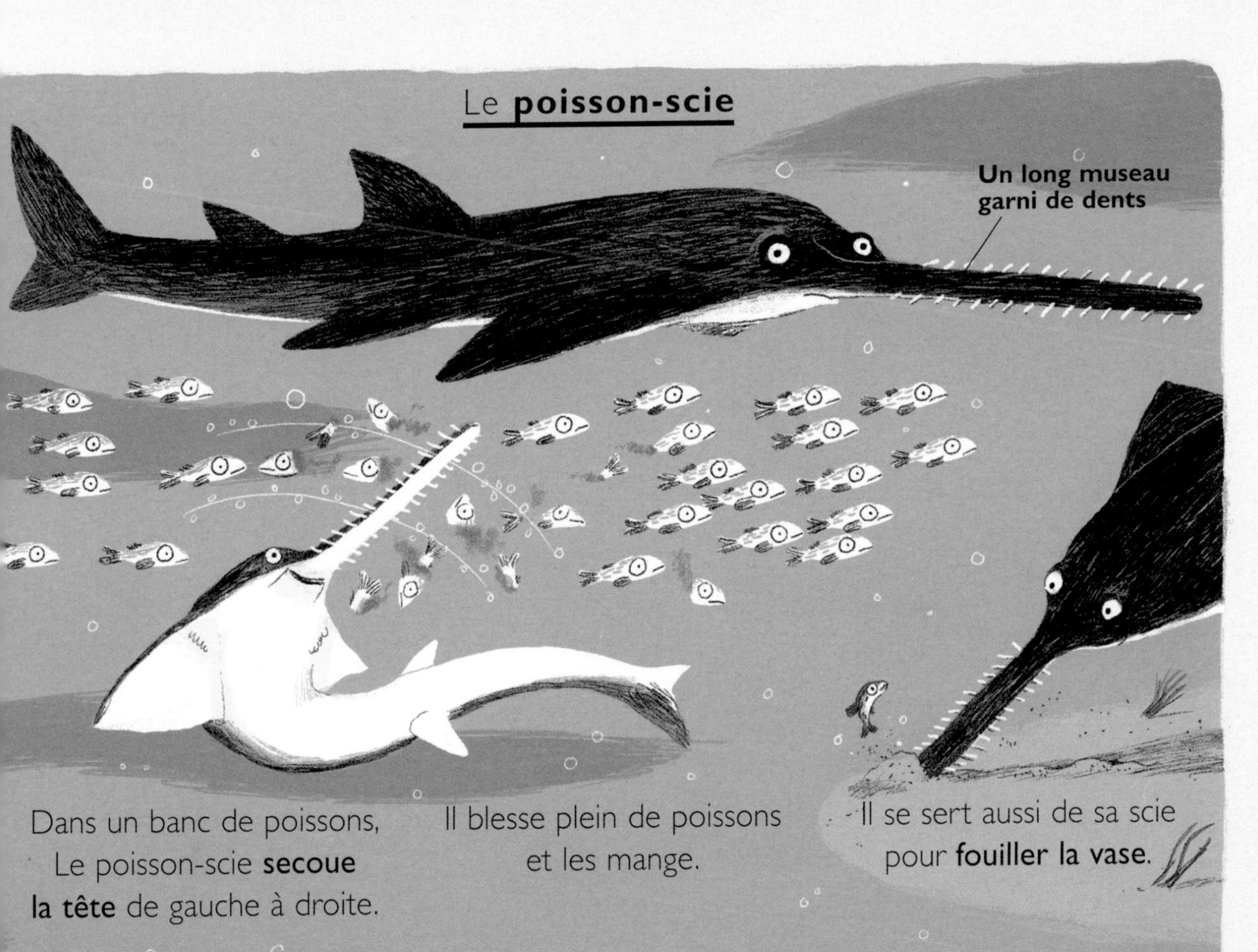

Dans un banc de poissons,
Le poisson-scie **secoue la tête** de gauche à droite.

Il blesse plein de poissons
et les mange.

Il se sert aussi de sa scie
pour **fouiller la vase**.

Ovipare ou vivipare ?

La **femelle espadon** est **ovipare**,
c'est-à-dire qu'elle pond des **œufs**.
Dans l'œuf, les bébés espadons
n'ont pas encore de rostre.

Le **poisson-scie** est **vivipare**,
les petits sortent directement du ventre
de leur mère, comme nous, les humains.
Mais heureusement pour leur mère,
ils **naissent** avec la **scie enveloppée**.

AU LARGE

Cache-cache au fond de la mer

L'hippocampe

L'hippocampe est un poisson qui nage debout. Son nom veut dire « cheval de mer ».

Il vit caché au milieu des algues.

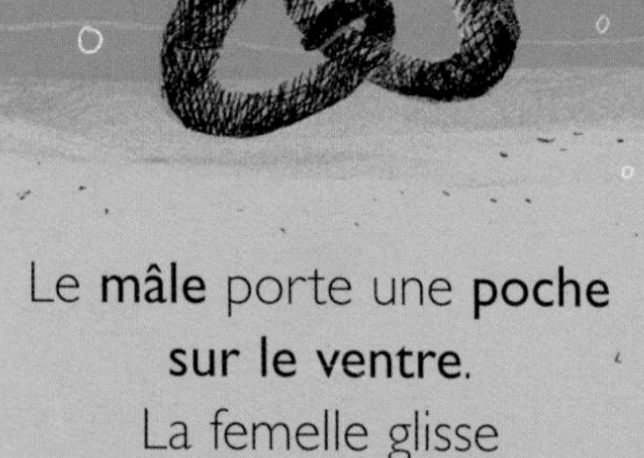

Le **mâle** porte une **poche sur le ventre**. La femelle glisse ses œufs dans la poche.

Un **mois plus tard**, les **petits** hippocampes sont **prêts à naître** : alors le papa les expulse.

Le minuscule hippocampe **s'accroche à une algue** et commence à aspirer les petits animaux qui passent à sa portée.

La **baudroie**

La baudroie a une tête énorme couverte d'épines. Elle est vraiment très laide.

Elle **nage très mal.**
Alors, pour manger, elle **pêche** à la ligne.

Elle agite son **appât** : un long filament dont le bout ressemble à un petit **morceau de chair**.

Le poisson s'approche, attiré par cette proie appétissante. La baudroie, alors, ouvre son **énorme gueule** et **avale** l'imprudent.

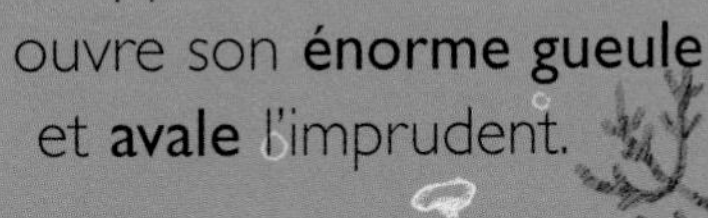

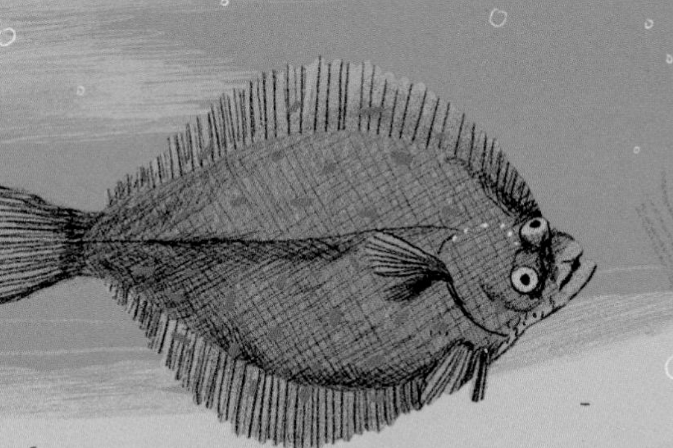

Le **carrelet**

Le carrelet est un poisson plat.

Il vit **tapi sur le fond**. Il est invisible.
Avec ses **petites dents**,
il croque des vers et des coquillages.

AU LARGE

Autour d'un bateau de pêche

L'albatros

L'albatros a les plus grandes ailes du monde. L'albatros plane au-dessus des vagues pendant des heures sans battre des ailes. Plus il y a de vent, de tempête, mieux il vole !

Le dauphin

D'un puissant coup de queue, le dauphin **bondit** hors de l'eau. Il fait un **saut périlleux**, crie et retombe en claquant la surface de l'eau.

Le dauphin est un cétacé, comme la baleine. C'est un mammifère marin.

Le reste de la bande **siffle** pour applaudir l'acrobate.

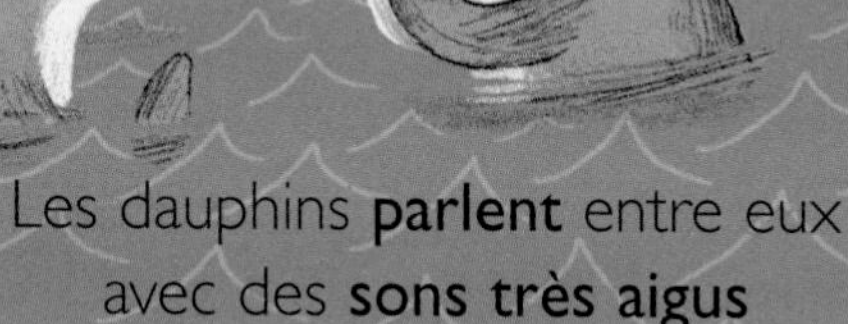

Si l'un d'eux se blesse, les autres dauphins le soutiendront pour qu'il puisse **respirer**.

Les dauphins **parlent** entre eux avec des **sons très aigus** que nous ne pouvons pas entendre.

Le **goéland**

Le distributeur automatique

Pour demander à manger, le jeune goéland frappe le point rouge du bec de son parent qui recrache alors la nourriture.

Le goéland mange de tout, fouille les poubelles, crie beaucoup, vole les œufs et le poisson des autres oiseaux.

L'albatros, en voulant manger l'appât, se fait attraper à la ligne.

COMAR012

Le **goéland** se précipite sur les **déchets de poisson** que les marins rejettent.

Le **dauphin** est **très curieux**. Il observe ces drôles de mammifères qui s'agitent sur le pont. Il joue et surfe dans le **sillage** du bateau.

Les boîtes et l'ouvre-boîte

Sur les côtes, avec la marée, la mer monte et descend. Les animaux doivent s'adapter.

À **marée basse**, les animaux se cachent ou se ferment.

À **marée haute**, ils s'ouvrent, se nourrissent, se poursuivent.

L'**étoile de mer**

L'étoile de mer est un animal marin qui a une forme d'étoile à 5 branches.

L'étoile de mer adore les **coquillages**, mais **comment les ouvrir** ?

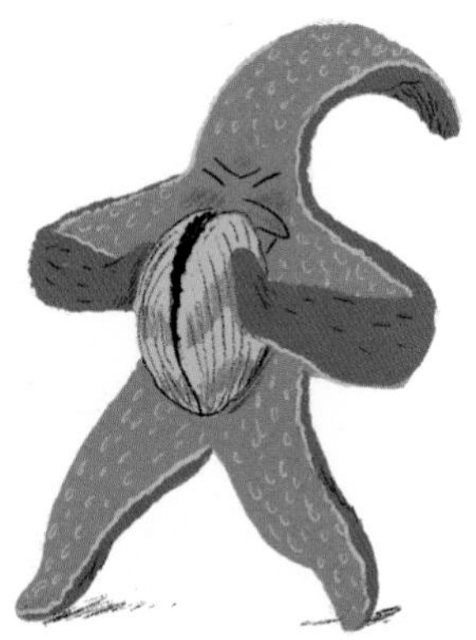

Avec les **ventouses** de ses bras, elle **tire** de toutes ses forces et entrouvre le coquillage.

Alors elle **lance son estomac à l'intérieur** du coquillage et le digère tranquillement.

Quand les **vagues** se fracassent sur les rochers,
les animaux doivent **s'accrocher** pour ne pas être emportés.

Le **bigorneau**

Le bigorneau s'accroche avec son pied-ventouse.

La **moule**

La moule s'accroche avec son filament.

L'**huître**

L'huître ouvre ses deux coquilles pour se nourrir.

1 **À l'intérieur** de l'huître, on trouve une couche de **nacre**, brillante.

2 Si un petit **caillou pointu** entre dans l'huître, il la **blesse**.

3 Elle **le recouvre** de nacre lisse. Elle a fabriqué une **perle**.

Les crustacés à cuirasse

Quelle malchance de naître avec un **ventre mou** ! Pour se protéger, le bernard-l'ermite s'enfile dans une **coquille vide**.

Le **bernard-l'ermite**

Il est **bien installé**, mais pas pour longtemps.

Comme **il grossit**, il doit **déménager**. S'il ne trouve pas de coquille à sa taille, pas de problème, il choisit un coquillage vivant. Il le dévore et s'installe.

La **crevette**

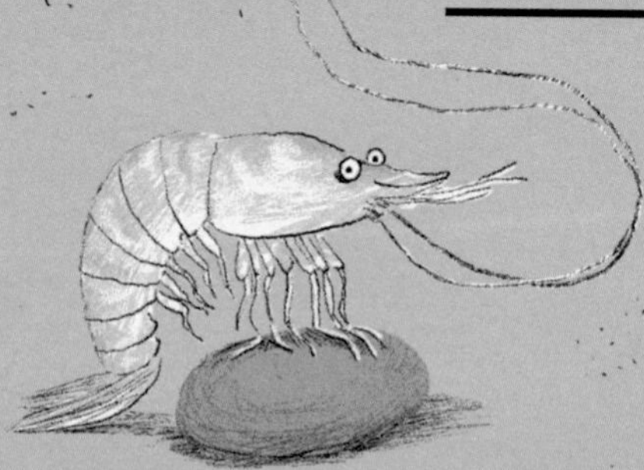

Dans l'eau, la crevette est **transparente** et ainsi **presque invisible**.

Une fois **cuite**, dans l'assiette, elle est **grise** ou **rose**.

Le **crabe**

Le crabe **trotte de travers** à la recherche de nourriture.

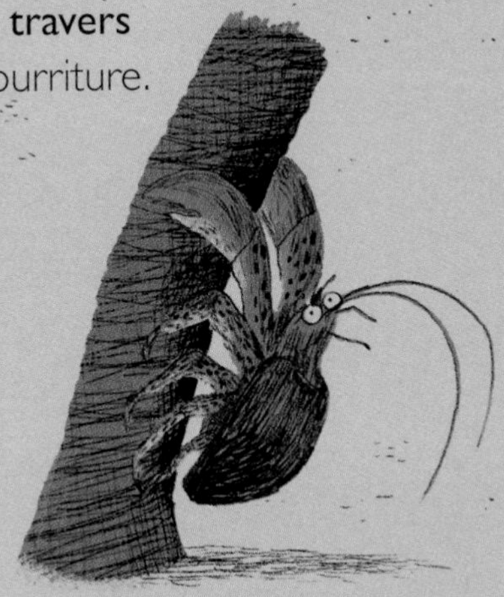

Bien à l'abri sous sa **carapace**, le crabe mange tout ce qu'il trouve, mort ou vivant.

Celui-là **se cache** sous un morceau d'éponge qu'il transporte avec lui.

Le **crabe des cocotiers** a des **griffes** pour grimper aux arbres.

Quand ils grandissent, la **carapace** des crustacés devient trop étroite. Ils doivent en changer. On appelle cela **muer**.

Le **homard**

Le homard a quitté sa carapace. La nouvelle est encore molle. Il est **tout nu**, sans défense.

Vite, il **se cache** dans un trou et dévore sa vieille armure pour faire **durcir** la nouvelle.

Des monstres dans le noir

Dans les profondeurs de la mer nagent d'énormes mâchoires pleines de dents pointues. Brrr, dans ce monde froid et noir, des êtres terrifiants luttent pour se nourrir. Sans lumière, il n'y a pas de plantes, tous les poissons sont carnivores.

Le **poisson-pélican**

Le **poisson-vipère**

Le poisson-vipère a des « hublots » lumineux sur les côtés.

Le poisson-pélic avale des proie plus grosses que lui.

Au fond, éponges, anémones et limaces mangent les débris tombés de la surface.

Le **poisson-dragon**

Le poisson-dragon a des dents effilées comme des aiguilles.

Petit monstre !

Ces monstres ont l'air gigantesque, mais il ne sont souvent pas plus grands qu'un gros poisson rouge !

La **baudroie abyssale**

La baudroie abyssale « pêche à la lampe » pour attirer ses proies.

RIVIÈRES ET LACS

Dans les torrents et les rivières rapides, il y a peu d'animaux car le courant est trop fort. Mais dans les eaux tranquilles, il y a du monde. Ça saute, ça nage, ça poursuit, ça dévore.

Dans les eaux tranquilles

À la surface, l'**araignée d'eau** patine
à la recherche d'une petite proie.

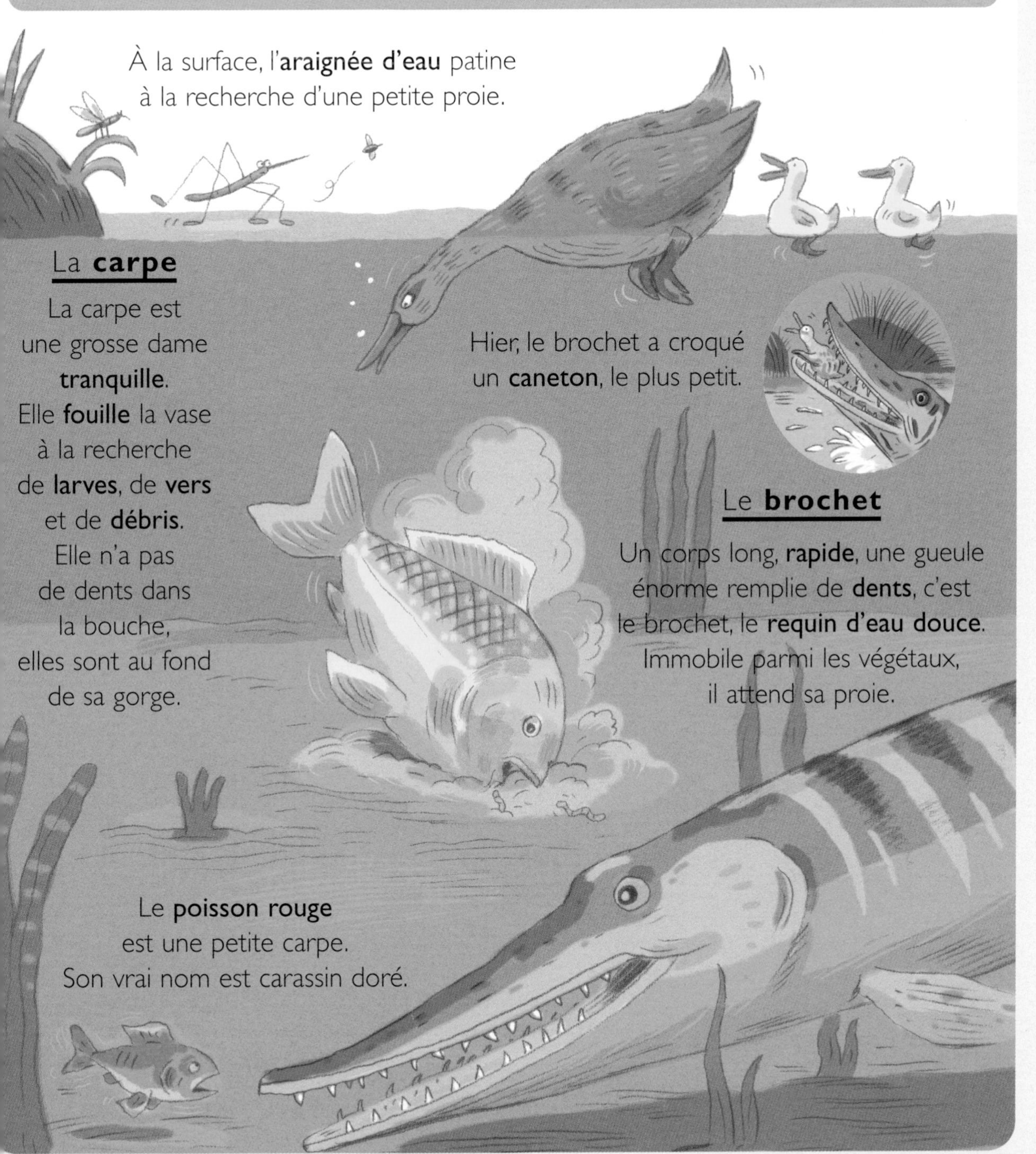

La **carpe**

La carpe est
une grosse dame
tranquille.
Elle **fouille** la vase
à la recherche
de **larves**, de **vers**
et de **débris**.
Elle n'a pas
de dents dans
la bouche,
elles sont au fond
de sa gorge.

Hier, le brochet a croqué
un **caneton**, le plus petit.

Le **brochet**

Un corps long, **rapide**, une gueule
énorme remplie de **dents**, c'est
le brochet, le **requin d'eau douce**.
Immobile parmi les végétaux,
il attend sa proie.

Le **poisson rouge**
est une petite carpe.
Son vrai nom est carassin doré.

Le bûcheron du lac

Le **castor**

Le castor est un gros rongeur à queue plate. Il coupe les arbres avec ses longues incisives. Il mange l'écorce et les feuilles.

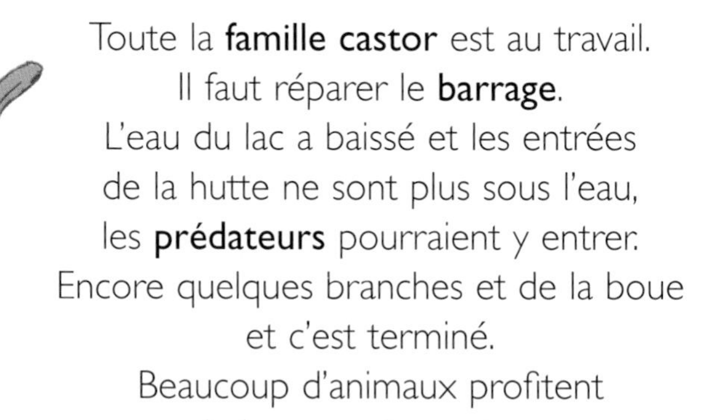

Toute la **famille castor** est au travail.
Il faut réparer le **barrage**.
L'eau du lac a baissé et les entrées de la hutte ne sont plus sous l'eau, les **prédateurs** pourraient y entrer.
Encore quelques branches et de la boue et c'est terminé.
Beaucoup d'animaux profitent du barrage des castors.

Du sang pour pondre

La femelle moustique pond ses œufs sur l'eau. C'est elle qui nous pique pour sucer notre sang. Le mâle préfère le nectar des fleurs.

Le **martin-pêcheur**

Le martin-pêcheur plonge pour capturer ses proies dans l'eau.

S'il tient le poisson **par la tête**, c'est pour lui, il va l'avaler.

S'il le tient **par la queue**, c'est pour ses petits, car le poisson glisse mieux la tête la première.

Au printemps, monsieur martin-pêcheur offre de petits poissons à madame. Puis ils construisent un **terrier** dans la berge. Les petits sont en cercle et mangent chacun leur tour en se déplaçant d'un cran.

La **poule d'eau**

La poule d'eau a de grosses pattes et des doigts très longs. Elle fait son nid au bord de l'eau.

Manger, encore manger

Le **têtard**, en grandissant, se transforme en **grenouille**. Ses pattes poussent, puis sa queue disparaît.

Le têtard se nourrissait de **plantes**, mais la grenouille est **carnivore**.

Le têtard respirait sous l'eau avec ses **branchies**. La grenouille respire l'air avec ses **poumons**.

La **libellule**

Avec ses 4 ailes transparentes elle vole très vite au-dessus de l'eau.

La **grenouille**

Elle vit au bord des étangs. C'est une bonne nageuse. Elle pond des œufs d'où sortent les larves : les têtards.

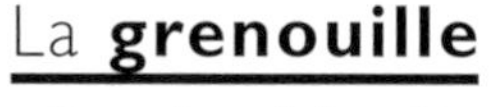

1

La **larve de libellule** est une terrible carnassière. Face à ses pinces, le têtard n'a aucune chance.

2

La larve devenue libellule se fait gober par un têtard devenu **grenouille**.

Le **héron**

Il a de grandes pattes, un long cou et un long bec pour pêcher.

La **couleuvre**

Elle avale ses proies vivantes car elle n'a pas de venin.

3

La **couleuvre** qui passe par là
avale la grenouille,
puis s'endort au soleil.

4

Le **héron** attrape la couleuvre
qui avait mangé la grenouille
qui avait mangé la libellule
qui avait mangé le têtard.
Un repas complet d'un seul
coup de bec!

EN MONTAGNE

En montagne, plus on monte, plus la vie est difficile.

L'été,
la montagne
se couvre
de **fleurs**,
de **fruits**
et d'**insectes**.

Mais l'hiver,
c'est la **neige**,
le **froid**
et le **vent**.

Une chambre sous la neige

La **marmotte**

La marmotte est un rongeur, comme le lapin. Elle vit en « tribu » dans de grands terriers.

1 Tout **l'été**, la marmotte **se goinfre** d'herbe et de fleurs.
2 À **l'automne**, elle est toute **grasse**, prête à passer l'hiver sans manger. Elle prépare alors sa chambre avec du foin sec.

Attention !
Une forme noire plane dans le ciel.
Heureusement, le **gardien**, debout sur ses pattes arrière, a vu le rapace et pousse un long **sifflement**.
C'est le **signal d'alerte**.

3 Aux **premiers flocons** de neige, elle bouche son terrier et s'endort, serrée contre les autres.
Elle **hiberne**.

4 Toutes les semaines, elle **se lève**, fait **pipi**, se **nettoie** et range le **nid**.

Tout en haut !

Non, **l'aigle** n'emporte pas dans les airs les moutons ou les petits enfants. Mais **gare à la marmotte** qui se promène sans regarder le ciel !

L'aigle

L'aigle est un rapace.

L'aigle attrape et tue sa proie avec ses **serres**. Il déchire la chair avec son **bec coupant** et en rapporte à ses petits.

Le **gypaète**

Le gypaète est un charognard. Il se nourrit d'animaux morts.

Il lâche les **os** de très haut sur un rocher pour les briser et se régaler de la **moelle** qui est à l'intérieur.

Le chamois **escalade** les rochers, **saute** les ravins et **dévale** les pentes sans crainte.

Le **chamois**

Le chamois a des coussinets entre les doigts de ses sabots pour ne pas glisser.

Le **chamois** passe **l'été en haut** de la montagne. Là, il **broute** l'herbe et les fleurs.

L'hiver, il descend dans la forêt et se contente de mousses et de brindilles.

Un cousin du chamois

Le bouquetin a de grandes et lourdes cornes.

EN MONTAGNE

De la chenille au papillon

Le **papillon**

Les papillons ont des **noms merveilleux** : porte-queue, citron, paon de nuit, petite tortue, mars changeant, tristan, aurore, collier de corail, miroir…

La femelle papillon pond des **œufs**. Il en sort des **chenilles**.

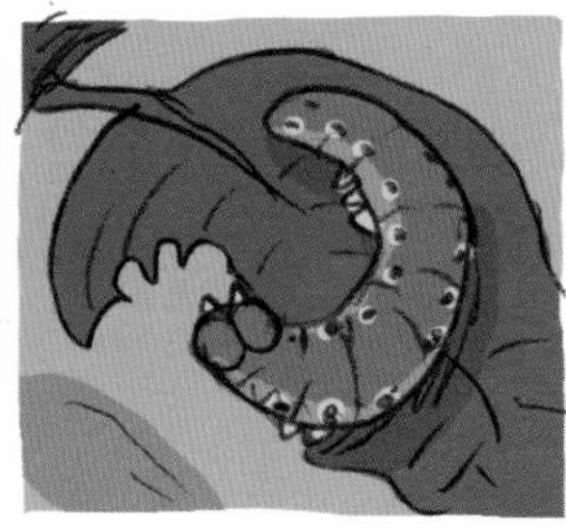

La chenille mange beaucoup et **grossit** vite.

Elle se transforme en **chrysalide**.

Et de la chrysalide sort le **papillon**.

Nourri d'une goutte de **nectar**, le papillon **se chauffe** au soleil avant de s'envoler.

Les **papillons de jour** ont de vives couleurs.

Les **papillons de nuit** sont ternes pour mieux se cacher pendant le jour.

Rouge à points noirs

La **coccinelle**

Les points des coccinelles n'ont rien à voir avec leur âge.

Elles ne vivent qu'1 ou 2 ans.

Les **pucerons** sucent la sève des plantes. La coccinelle les dévore. Ils sont **très juteux**. Elle doit souvent **se battre contre les fourmis** qui élèvent les pucerons.

Ses **ailes** sont **pliées** sous sa carapace.

Quand elle **tombe**, elle **replie ses pattes** pour ne pas les casser.

Lorsqu'elle est **attaquée**, elle **saigne** et **ça pue**.

Tant de courage pour finir dévoré

Le **saumon**

Le saumon naît dans une rivière, puis il descend passer sa vie en mer.

Pour **se reproduire**, il retourne là **où il est né**. Il remonte le courant en bondissant hors de l'eau. C'est si **fatigant**, qu'après avoir pondu, **il meurt**.

Et dans la rivière il y a le **grizzli** !

Mon eau préférée

Comment le saumon retrouve-t-il sa rivière ? Il se souvient de l'odeur et du goût de l'eau où il est né.

Le **grizzli**

Le grizzli est un grand ours brun.

Dès qu'un poisson passe à sa portée, le grizzli le **harponne** de ses longues **griffes** et se régale.

Le grizzli aime aussi les **champignons**, les **insectes**, le **miel** et les petits animaux. C'est un **omnivore**, c'est-à-dire qu'il mange de tout, comme les hommes.

Avant l'hiver, il **mange** le plus possible pour être bien **gras**, puis il hiberne au fond de sa **tanière**.

Les **petits** naissent pendant l'hibernation. Au printemps, ils suivront leur mère qui leur apprendra à se débrouiller.

Le **père**, lui, a déjà retrouvé sa **vie solitaire**.

LA **FORÊT TEMPÉRÉE**

Au printemps, les jours rallongent et la forêt sort de son sommeil.

Les **bourgeons** éclosent. Les **fleurs**, les **feuilles**, l'**herbe**, tout se met à pousser.

Il y a beaucoup de **nourriture** pour tous. C'est le moment où naissent **les petits**.

Les animaux **se réveillent**, les oiseaux **chantent**, les insectes **se multiplient**.

La **chauve-souris** s'endort, à l'abri.
Le **sanglier** se goinfre d'insectes et de châtaignes.
Le **pic** cache des glands dans le creux d'une branche.
L'écureuil enfouit toutes sortes de graines.
Le **hérisson** cherche un abri dans les feuilles.
Le **renard** enterre tout ce qu'il trouve.

<u>À l'automne</u>, les feuilles tombent. Beaucoup d'oiseaux s'en vont vers des régions plus chaudes. Certains animaux se préparent pour leur hibernation. Les autres finissent de remplir leurs réserves de provisions pour passer l'hiver.

Ça grouille sous les feuilles

Les **feuilles tombent** des arbres. En **se décomposant**, elles forment l'**humus** qui **nourrit les arbres**.

Cela ne se fait pas tout seul, mais avec l'aide de **milliards de petits êtres vivants** : des **bactéries**, des **champignons** et des tas de **petits animaux**.

Le **cloporte**

Le cloporte est un crustacé, comme le crabe, sauf qu'il vit sur terre.

Le **mille-pattes**

Le mille-pattes n'en a que deux cents.

L'**escargot**

L'escargot n'a qu'un seul gros pied. Sa peau est très fragile, alors il avance sur une couche de bave.

Il y a les **mangeurs de feuilles** comme la chenille, et les mangeurs de mangeurs de feuilles comme certains mille-pattes.

Le **ver de terre**

Il est long et tout mou.

Les vers de terre sont des **laboureurs**. Ils avalent la **terre** et l'**humus** pour les rejeter un peu plus loin. Comme ils sont très nombreux, ils **mélangent** et **aèrent** tout le sol de la forêt.

Des traces dans la boue

En septembre, à **la saison des amours**, le **brame** du cerf remplit la forêt. Il ne mange plus, occupé qu'il est à garder ses **biches** et à les protéger contre les autres mâles.

Le **cerf**

Il a des bois sur la tête. La femelle est la biche. Le petit, le faon.

Le cerf peut avoir **50 femelles**. Un mois plus tard, il retournera vivre seul au fond de la forêt.

Ses « **bois** » **tombent** et **repoussent** tous les ans un peu plus grands. Les **mâles se battent** pour les femelles. Parfois ils restent empêtrés et peuvent mourir de faim.

Ses **cousins** sont le **chevreuil**, petit et roux, et le **daim**, aux jolies taches blanches.

Le **sanglier**

C'est un porc sauvage. Il est couvert de poils durs.

Le sanglier aussi **se bat** pour les femelles, les **laies**.

Il claque des **mâchoires** et essaye d'enfoncer ses **canines** dans la gorge de son adversaire.

Avec son **groin**, il déterre les **racines** et les **larves d'insectes**. Il mange aussi les **souris** et les **crapauds**.

Sangliers et marcassins aiment prendre des **bains de boue** pour nettoyer leur poil.

Quelles sont ces traces?

Les traces que l'on voit dans le sol permettent de reconnaître l'animal qui est passé : s'il marchait, s'il courait, si c'était un mâle ou une femelle, quel était son poids…

Voici les traces d'un sanglier «âgé». Plus il est vieux, plus les deux doigts arrière sont marqués. Le marcassin ne laisse pas ces 2 traces.

Voici les traces du cerf. Elles sont les mêmes que celles de la biche mais en beaucoup plus grand.

Les habitants des terriers

Sais-tu que le lapin **mange ses crottes** ?
Ce n'est pas une blague. Elles sont **pleines de vitamines**.

Le **lapin**

Le lapin vit en colonie dans un réseau de galeries avec plein d'entrées. Il en creuse souvent de nouvelles car il a souvent des petits.

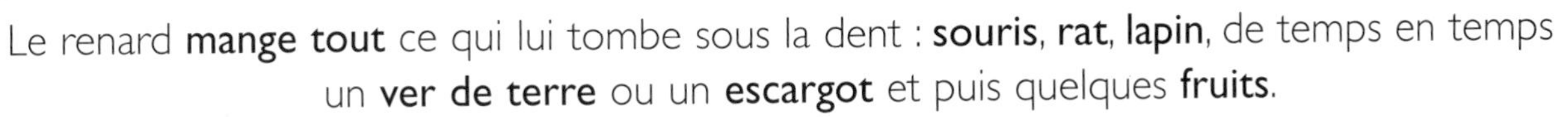

Le renard **mange tout** ce qui lui tombe sous la dent : **souris**, **rat**, **lapin**, de temps en temps un **ver de terre** ou un **escargot** et puis quelques **fruits**.

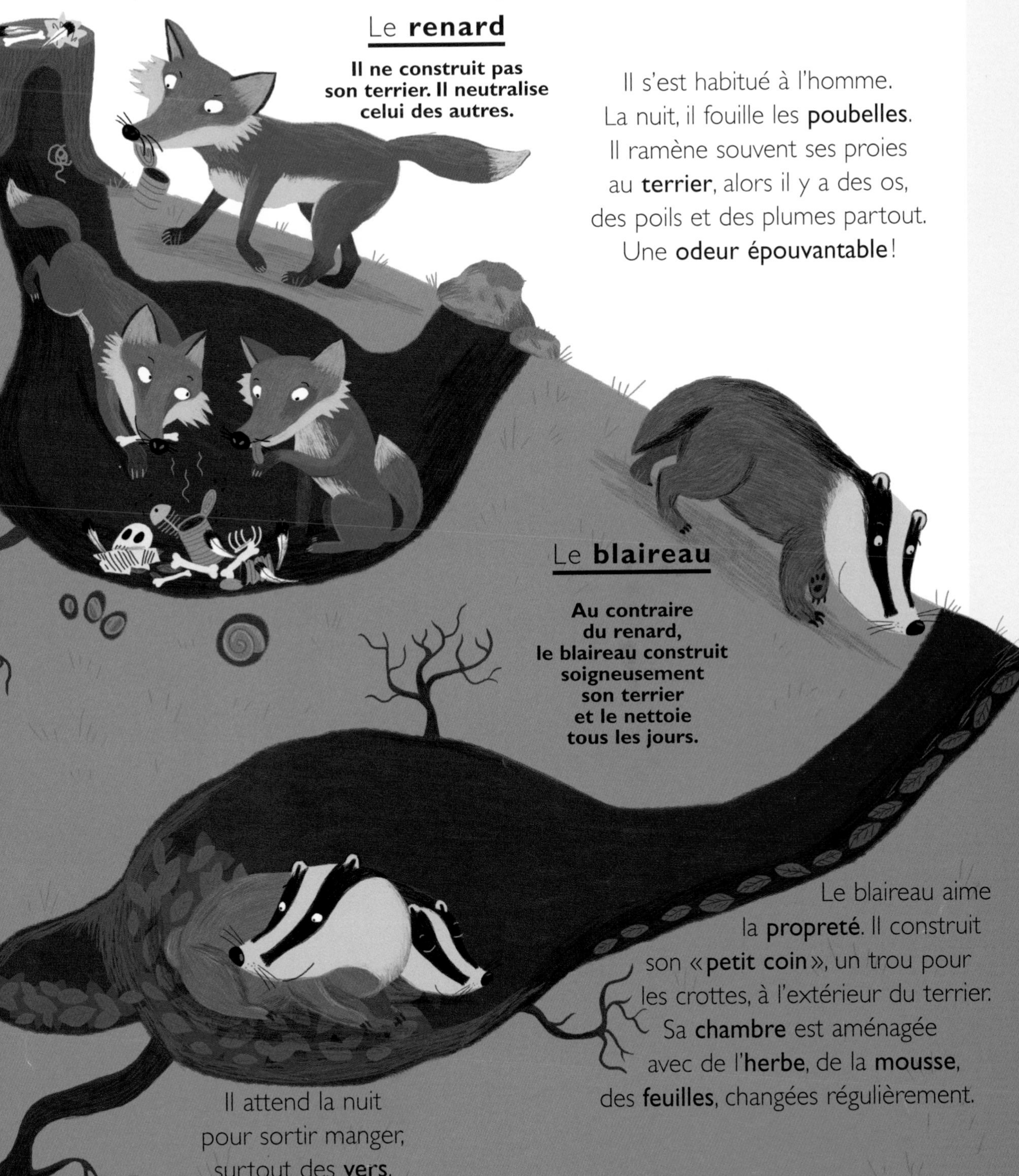

Le **renard**

Il ne construit pas son terrier. Il neutralise celui des autres.

Il s'est habitué à l'homme. La nuit, il fouille les **poubelles**. Il ramène souvent ses proies au **terrier**, alors il y a des os, des poils et des plumes partout. Une **odeur épouvantable** !

Le **blaireau**

Au contraire du renard, le blaireau construit soigneusement son terrier et le nettoie tous les jours.

Le blaireau aime la **propreté**. Il construit son « **petit coin** », un trou pour les crottes, à l'extérieur du terrier. Sa **chambre** est aménagée avec de l'**herbe**, de la **mousse**, des **feuilles**, changées régulièrement.

Il attend la nuit pour sortir manger, surtout des **vers**.

Un monstre plein de pattes

L'**araignée**

L'araignée n'est **pas un insecte** puisqu'elle a 8 pattes.
Elle nous **fait peur**, pourtant, elle est **bien utile**.
Elle **dévore** des **mouches**, des **moustiques** et d'autres insectes nuisibles.

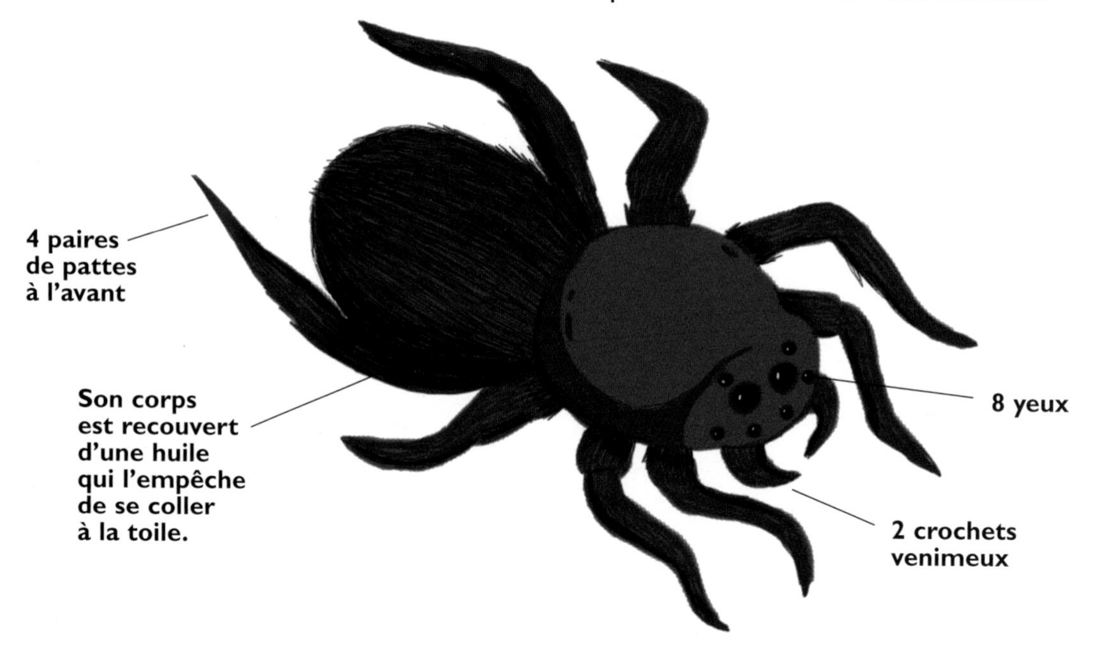

L'araignée construit une **toile**, le **piège** qui va la nourrir.

Quand il y a **danger**, elle se laisse tomber au bout d'un fil.

Le danger passé, il suffit de le remonter.

L'**araignée-loup** porte ses petits sur son dos.

Tisser une toile

L'araignée tisse d'abord des **rayons** très solides accrochés aux plantes.

Ensuite une **spirale** de **fils collants**.

Puis elle **se cache** derrière une feuille, un **fil** relié **à la patte**.

Vroum, un **gros bourdon** passe à travers la toile en la déchirant. Il faut la réparer.

Une **vibration** dans le fil! Cette fois, c'est un **moustique**.

L'araignée se précipite et le tue avec son **venin**. Puis elle aspire son contenu.

Oh, une **autre vibration**! Un 2e moustique s'est pris dans la toile collante.

Elle **tricote** un **filet de soie** pour l'envelopper et le garder pour plus tard.

Mais elle ne le mangera pas… le **rouge-gorge** vient de la gober!

Un mois de travail

L'**abeille**

Dans une ruche, il y a des **milliers** d'abeilles. Elles fabriquent du **miel** pour nourrir les larves.

Durant sa toute petite vie d'un mois, la courageuse abeille change souvent de « métier ». Elle doit successivement :
- **nettoyer la ruche ;**
- **nourrir les larves ;**
- **fabriquer de la cire pour construire les alvéoles ;**
- **ranger les provisions de nectar et de pollen ;**
- **garder l'entrée en vérifiant l'odeur de chaque ouvrière ;**
- **et enfin butiner, butiner pour fabriquer le miel…**

Pour finir, elle meurt d'épuisement.

Toutes les abeilles sont les filles de la reine. Elle pond nuit et jour des milliers d'œufs.

Le **dard** de l'abeille est barbelé. Lorsqu'elle **pique**, elle s'arrache le ventre en le retirant et elle **meurt**.

La **danse en huit** : cette butineuse raconte qu'elle a trouvé un champ de fleurs gorgées de **nectar**.

Pour fabriquer ses **graines**, la fleur a besoin du **pollen** d'une autre fleur. Sans le savoir, les insectes qui butinent son nectar sucré transportent le pollen de fleur en fleur.

La reine des airs

La **mouche**

Bzzzz. Qu'elle est agaçante à nous tourner autour!
Mais comment l'attraper? Ses **grands yeux rouges** nous surveillent. En mille coups d'ailes, elle est déjà au plafond. Grâce à ses **pattes à ventouses**, elle s'y promène tranquillement.

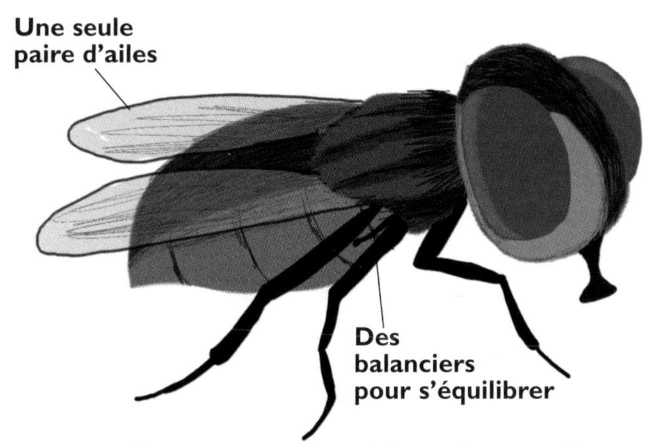

Dans toutes les régions du **monde** où vit l'homme, il y a des mouches. Quand il fait trop chaud, la mouche reste enfermée dans la maison. Le soir, elle va faire un tour au jardin : au **compost**, au **fumier**, sur les **fruits pourris**.

La **femelle** aime **pondre** dans les endroits chauds et humides : **fumier**, **bouses**, **viandes**, **fromages**, **poubelles**...
De ses œufs sortent les **asticots** qui se nourrissent tout de suite.

Certains **Indiens d'Amérique centrale** font des **gâteaux de mouches**.

En **Afrique**, la **mouche tsé-tsé** transmet la très grave maladie du sommeil.

Toujours propre!

Pourquoi se nettoie-t-elle tout le temps?

Pour rester légère.

La nuit vient de tomber

La **chouette**

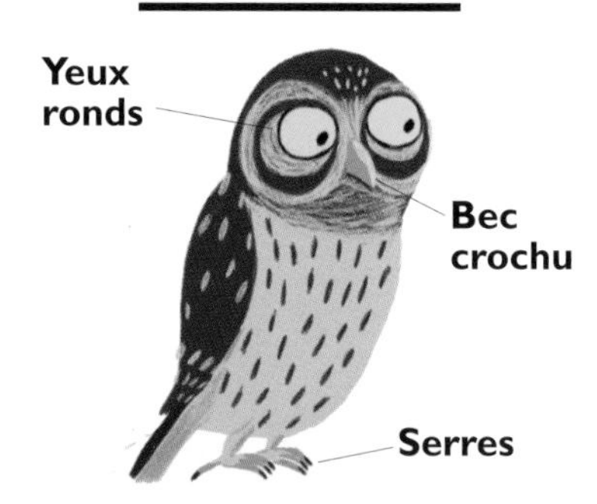

1 **Perchée** sur sa branche, la chouette penche la tête, elle a entendu un bruit.

2 C'est une **musaraigne** qui croque un **ver luisant**. L'oiseau s'envole sans un bruit, les **serres** en avant.

3 Elle attrape la musaraigne, la tue et **l'avale entière**.

Beuark !

La chouette recrache en boule les poils et les os de ses proies.

Le **hérisson**

Il a le dos couvert de piquants. Pour se protéger il se roule en boule.

Le hérisson **fouille** dans les feuilles avec son **museau**.

Il **gratte la terre** avec ses **griffes** pour trouver des **vers** et des **insectes**.

Hi… **ouitt**! fait la chouette.
Vite, le **hérisson** rentre sa tête et ses pattes sous son ventre pour se transformer **en châtaigne**.

Ouf pour la maman !

Les petits hérissons naissent sans piquants.

La **chauve-souris**

C'est le seul mammifère volant.

Une peau fine tendue entre les doigts de ses pattes

Pour **s'orienter** dans le noir, elle pousse des **cris très aigus** qui rebondissent sur les obstacles et reviennent dans ses oreilles.

Elle **dort** le jour, la **tête en bas**, cachée sous un toit ou dans la fissure d'un mur.

Des habits bien utiles

La **guêpe**

Comme l'abeille, elle est noire et jaune mais, elle, ne fait pas de miel. Les guêpent vivent en groupe dans un nid.

La guêpe femelle **pique** pour **paralyser** sa proie ou se **défendre**.

Au printemps, la jeune **reine** construit son **nid**. Elle s'occupe des premières **larves**. Quand les larves seront adultes, la reine ne fera plus que pondre.

La **syrphe**

C'est une mouche qui ressemble à une guêpe.

On la voit souvent faire du **surplace** au-dessus de nos têtes.

Pourquoi ressemble-t-elle à une guêpe ?

Parce que l'oiseau, une fois qu'il a goûté à une guêpe et qu'il s'est fait **piquer la langue**, ne recommence pas.
Alors, tout ce qui porte un **maillot rayé jaune et noir**, il n'y touche pas.

Le **criocère**

C'est un tout petit insecte.

Le criocère est **rusé**. Il a **peur** de l'oiseau, alors il se laisse tomber par terre en faisant **le mort**.

Ce **gros tas dégoûtant**, c'est la **larve** du criocère. On dirait vraiment du caca… Et bien, justement, c'en est. Comme elle a la **peau très fine**, elle **se protège** du soleil en se recouvrant de ses… **crottes** !

Dans un vieux chêne

Le rouge-gorge

Ce petit oiseau a des plumes rouges sur la gorge et la poitrine.

Sa queue touffue lui permet de garder l'équilibre. Elle lui sert aussi d'oreiller moelleux.

L'écureuil

Avec ses pattes arrière longues et musclées, l'écureuil fait des bonds géants et atterrit en s'accrochant à l'écorce avec ses griffes.

Le bec du pivert s'use vite, alors il pousse sans arrêt.

Le pivert

Toc toc toc, on l'entend de loin. Le pivert perce l'écorce. Il y glisse sa langue gluante pour capturer insectes et larves.

Le coucou

Il a le dos gris et le ventre blanc rayé de brun. Il pond dans le nid des autres.

Le lucane

Le lucane mâle a d'énormes mandibules sur la tête : on l'appelle le cerf-volant.

L'**été**, l'écureuil descend manger des **champignons** et des **fruits**.

L'**hiver**, il préfère rester dans son nid à grignoter des **pommes de pin** et des **noisettes**.

Les parents **rouges-gorges** ont quitté leur nid. La femelle **coucou** mange un des œufs, puis pond le sien.

Un fois éclos, le petit coucou **pousse les autres** oisillons hors du nid.

Les parents rouges-gorges vont s'épuiser à **nourrir le glouton**, bientôt plus gros qu'eux.

Au cœur du bois, la **larve du lucane** cerf-volant est à l'abri du pivert. Elle y passe quatre années.

Puis elle se transforme en un magnifique **chevalier noir** qui ne vivra qu'**un** seul **mois**.

Le temps pour les mâles de **se battre** et pour les femelles, de **pondre**.

Le sauvage, le bandit et la vorace

Le **lynx**

Le lynx est le plus grand prédateur de la forêt.

Le lynx **chasse** toute la nuit les **lapins** et les **jeunes cerfs**.

Peintures de guerre

Les Indiens dessinaient les marques de ses griffes sur leur visage. Ils pensaient alors pouvoir lire dans le cœur des autres et voir leurs mensonges.

Le **raton laveur**

Le raton laveur farfouille le fond des rivières à la recherche d'écrevisses, de grenouilles ou de poissons.

Il **lave** sa **nourriture** avant de la manger.

Il fouille les **poubelles**, ouvre les **portes** avec ses petites **mains agiles**, entre dans les maisons. Il a l'air masqué, c'est un vrai **bandit**.

La **mante religieuse**

La mante femelle est si vorace qu'elle dévore tout...

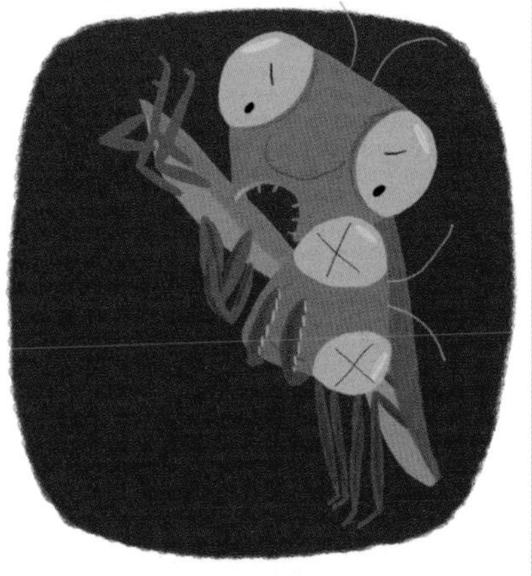

... même le petit mâle après l'accouplement.

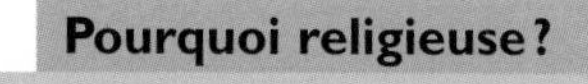

Pourquoi religieuse ?

Car elle a l'air de joindre les pattes pour prier.

Le **papillon** n'a pas vu la mante religieuse, invisible dans les feuilles.

Très vite, la mante a lancé ses **longues pattes** couvertes d'**épines** et les a refermées sur sa proie.

Le pauvre papillon ne peut plus bouger, alors **elle le croque** en commençant par la tête. Elle ne laissera que les ailes.

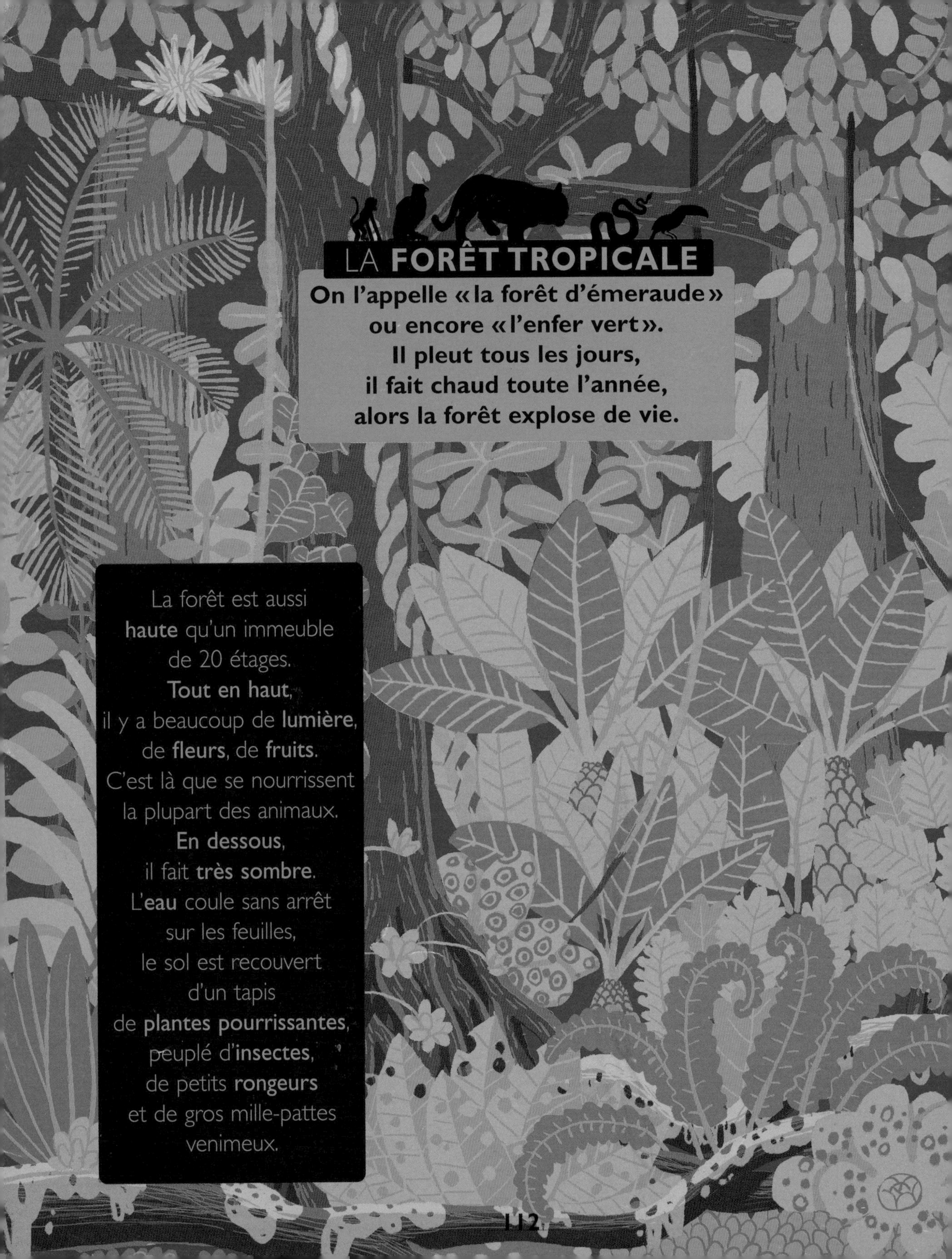

LA **FORÊT TROPICALE**

On l'appelle « la forêt d'émeraude » ou encore « l'enfer vert ». Il pleut tous les jours, il fait chaud toute l'année, alors la forêt explose de vie.

La forêt est aussi **haute** qu'un immeuble de 20 étages. **Tout en haut**, il y a beaucoup de **lumière**, de **fleurs**, de **fruits**. C'est là que se nourrissent la plupart des animaux. **En dessous**, il fait **très sombre**. L'**eau** coule sans arrêt sur les feuilles, le sol est recouvert d'un tapis de **plantes pourrissantes**, peuplé d'**insectes**, de petits **rongeurs** et de gros mille-pattes venimeux.

La forêt retentit
de **mille bruits** :
hurlements de singes,
cris de perroquets,
chants de grenouilles,
rugissements.
Il y a tant de végétation
que les animaux
ne se voient pas.
Ils font du bruit pour
signaler leur présence.

Mais attention,
la végétation cache
aussi les **prédateurs**.

Le danger vient des arbres

Singes, oiseaux et prédateurs, beaucoup d'animaux vivent dans les hautes branches.

Du haut de sa branche, la panthère solitaire a **guetté** toute la journée le passage d'une **proie**.
Et maintenant en voilà deux d'un coup.
Laquelle va-t-elle **choisir**?

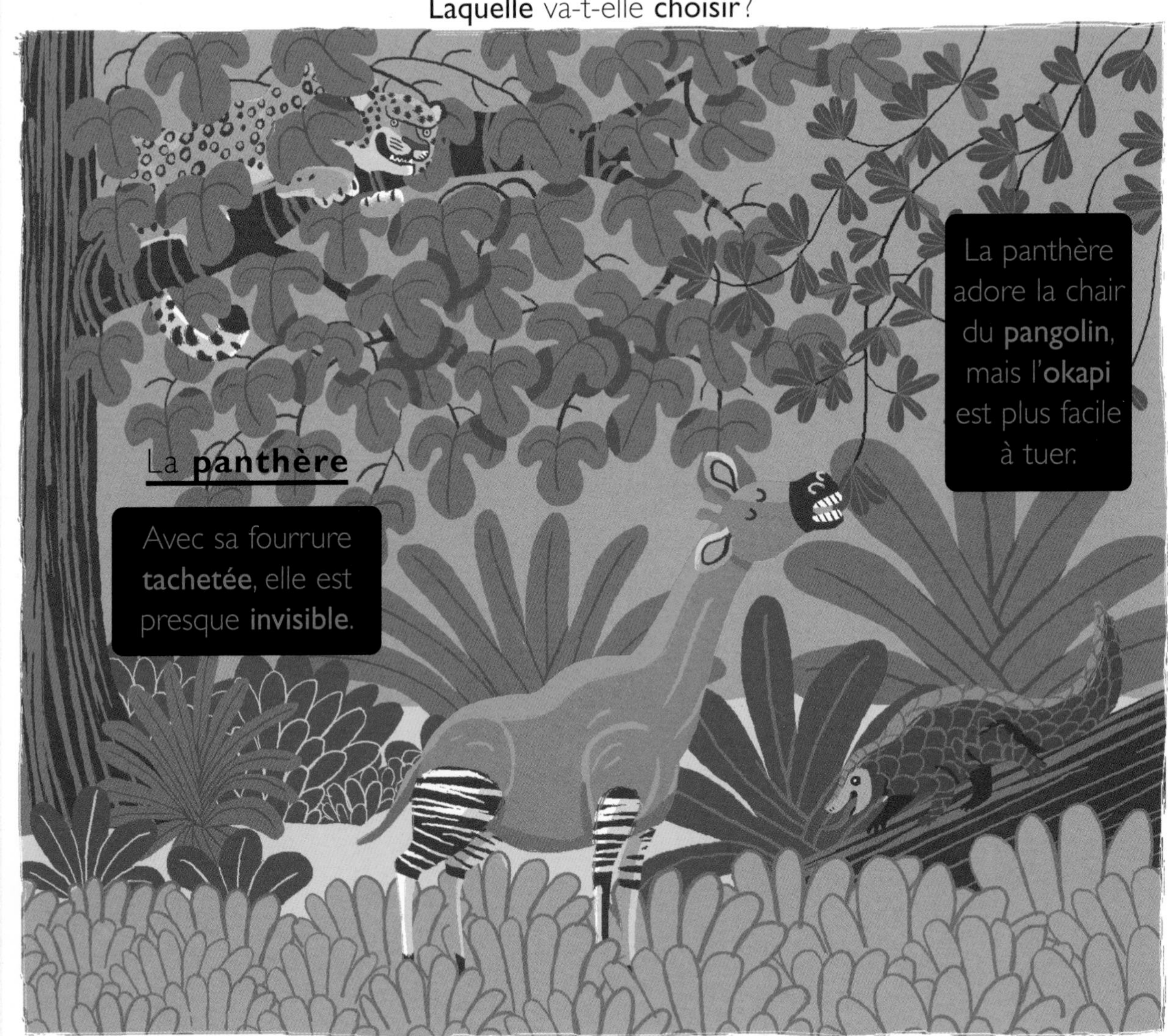

La **panthère**
Avec sa fourrure **tachetée**, elle est presque **invisible**.
La panthère adore la chair du **pangolin**, mais l'**okapi** est plus facile à tuer.

L'okapi

L'okapi est un cousin de la girafe mais il a un cou plus court.

Comme la girafe, l'okapi sort sa **longue langue** noire pour cueillir les **feuilles** et les **fruits**.

Sa langue est aussi bien pratique pour **se nettoyer** la figure, les oreilles et chasser les mouches.

Le pangolin

Le pangolin est une « grosse pomme de pin ».

Il n'a pas de dents, mais une longue langue pour attraper les fourmis et les termites.

Le pangolin doit **avaler** quelques **pierres** pour **broyer les insectes** dans son estomac.

3 systèmes de défense du pangolin

Se **rouler** en boule.

Frapper avec sa queue.

Projeter un liquide puant.

LA FORÊT TROPICALE AFRICAINE

Sur les branches hautes

Le **criquet**

Le criquet est un insecte sauteur.

Le **caméléon**

Le caméléon est un lézard. Il vit dans les arbres. Il s'accroche avec sa queue.

L'arme fatale : avec ses **yeux qui tournent**, chacun dans une direction, le caméléon a repéré le gros criquet.

À la vitesse de l'éclair, il projette sa longue **langue gluante** et ramène l'insecte dans sa bouche.

Le **perroquet**

Le perroquet se nourrit de fruits.

Le perroquet gris est **très agile**, il tient la noix avec sa patte et l'épluche avec le bec.

L'**aye-aye**

L'aye-aye est un lémurien. Il vit la nuit.

Queue de renard, dents de lapin,
oreilles de chauve-souris,
yeux et doigts de sorcière,
voici l'aye-aye.

Grâce à son **3e doigt très long**, l'aye-aye attrape les **larves** sous l'écorce.

Il aime aussi se le mettre **dans le nez**.

LA FORÊT TROPICALE AFRICAINE

Nos cousins

Comme nous, ils vivent **en famille**, peuvent marcher **debout** et « **réfléchissent** ».

Le chimpanzé sait utiliser des outils. Celui-ci enfile une baguette dans le trou de la termitière. Puis il la retire délicatement et suce les insectes.
En voulant casser une grosse noix avec une pierre, ce jeune chimpanzé s'est blessé la main. Sa mère le soigne avec des plantes.
Les termites, ça donne soif! Alors le chimpanzé mâche une poignée de feuilles puis la trempe dans le creux d'un arbre et la presse comme une éponge.

Le **chimpanzé**

Le chimpanzé vit dans les arbres.

Quand on est tout petit, le meilleur des **outils**, c'est encore de piquer une colère. Aussitôt, maman cueille le fruit.

Les chimpanzés dorment dans des **nids** qu'ils fabriquent chaque soir.

Le **gorille**

Le gorille est le plus grand de tous les singes.

Le gorille est très **fort**, mais très **tranquille**.
Il mange des **feuilles**, des **fruits**, des **graines**.

**Quel frimeur ce « dos argenté » !
C'est le mâle dominant.
Pour effrayer ce jeune mâle,
il arrache les branches,
les lance en l'air, hurle,
donne des coups de pied
et tape sur sa poitrine.
L'autre est très impressionné.**

Le petit gorille doit apprendre à connaître tous les membres de la tribu, leurs caractères et les lois. Si le chef grogne, les jeux cessent aussitôt.

LA FORÊT TROPICALE AMÉRICAINE

Au bord du fleuve Amazone

Le fleuve traverse la forêt amazonienne, la plus grande forêt du monde, la plus riche en êtres vivants.

Le **jaguar**

Une forme jaune
s'approche **sans bruit**
dans les arbres.
Dans sa **robe tachetée**,
le jaguar se prépare
à sauter sur le cabiai et
à le tuer d'un coup de dent.

Le **cabiai**

Le cabiai vit en groupe et se nourrit de plantes d'eau. C'est le plus gros des rongeurs.

Pour le dodu cabiai, le **danger**
peut venir d'en haut ou d'en bas,
des branches ou du fleuve où des milliers
de petites dents tranchantes l'attendent.

Le **piranha**

Les piranhas nettoient surtout le fleuve des **cadavres**, **insectes** et **poissons malades**.

Les piranhas **attaquent en banc**, comme des **requins**, et en quelques minutes, il ne restera que les os du **cabiai**.

Les **dents triangulaires** du piranha se croisent pour mieux déchirer.

LA FORÊT TROPICALE AMÉRICAINE

Le grand nettoyage

Elles sont des millions, une énorme **armée en marche**.
Elles ne laissent derrière elles que le vide. Insectes, mammifères, oiseaux, elles dévorent tout. Ce sont les fourmis légionnaires.

La **fourmi légionnaire**

La fourmi légionnaire vit en groupe. Elle a de puissantes mandibules.

Les fourmis légionnaires « campent ». Elles déménagent leur **nid** en transportant leurs **œufs** et leur énorme **reine**.

Les **insectes volants** tentent de s'échapper.
Mais ils sont immédiatement dévorés par les **oiseaux**
qui passent en piqué au-dessus de la colonie de fourmis.

Le **tatou** s'est roulé **en boule** pour se protéger. Mais les fourmis réussiront à passer dans les plis de sa **carapace**. C'était pourtant un mangeur de fourmis !

Les fourmis légionnaires **traversent les villages** et nettoient les maisons de leurs **araignées**, des **scorpions** et autres vilaines bêtes. Mais malheur au chien attaché !

LA FORÊT TROPICALE AMÉRICAINE

Plein de couleurs dans les arbres

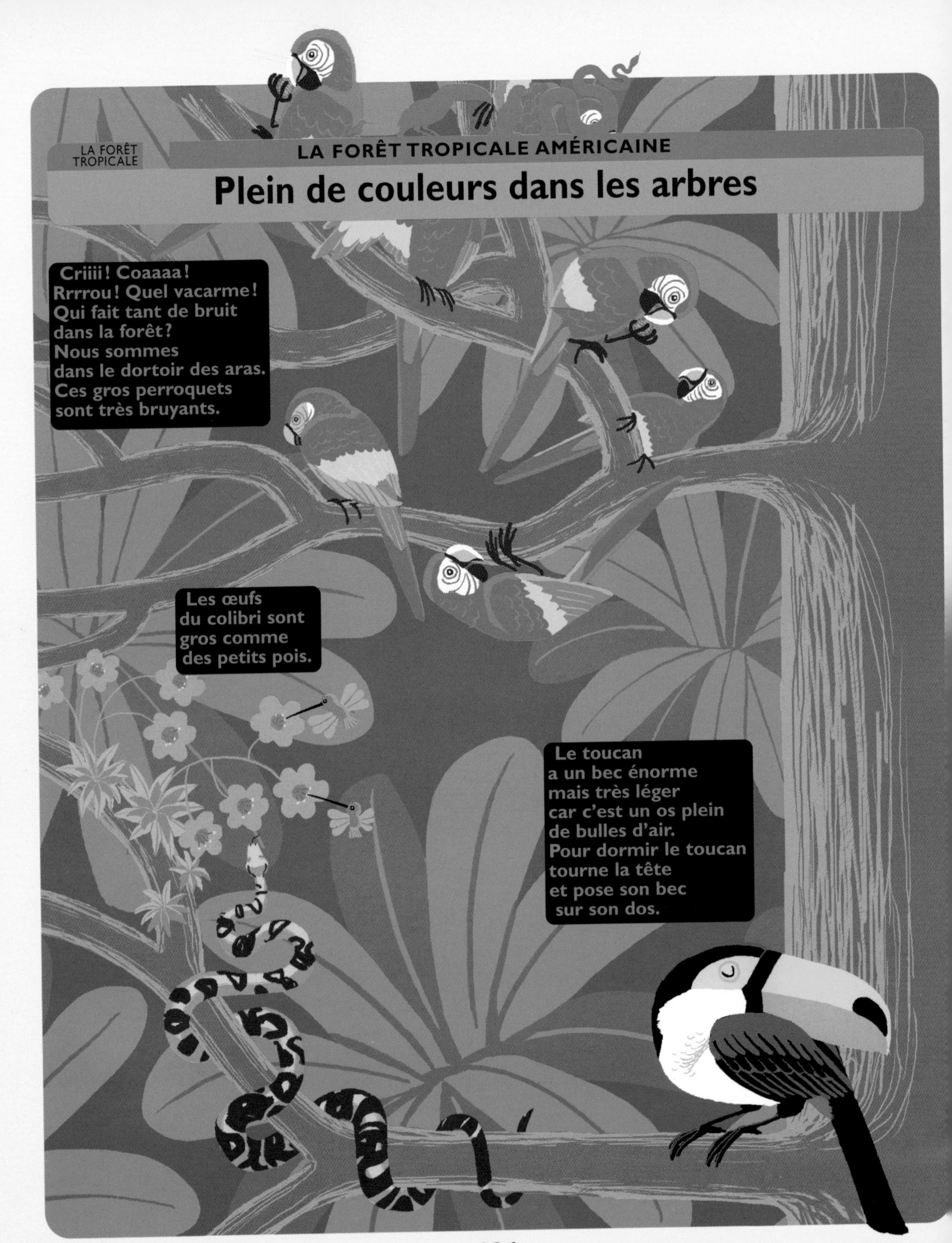

Criiii! Coaaaa!
Rrrrou! Quel vacarme!
Qui fait tant de bruit
dans la forêt?
Nous sommes
dans le dortoir des aras.
Ces gros perroquets
sont très bruyants.

Les œufs
du colibri sont
gros comme
des petits pois.

Le toucan
a un bec énorme
mais très léger
car c'est un os plein
de bulles d'air.
Pour dormir le toucan
tourne la tête
et pose son bec
sur son dos.

Le **colibri**

On appelle le colibri l'oiseau-mouche car il a la taille et le bourdonnement d'une grosse mouche.

Le **toucan**

Le toucan a un énorme bec.

L'**ara**

L'ara est un grand perroquet à longue queue.

Le colibri vole **sur place**, en avant, en arrière. Sans se poser, il **butine** avec sa longue langue le nectar des fleurs.

Le **bec** du toucan est **pratique** pour cueillir les fruits sur des branches éloignées.

Le **bec** de l'ara est fait pour **crocher** et **décortiquer** les graines et les fruits. Il peut couper un doigt.

Le **boa**

Le boa n'a pas de venin. Il étouffe ses proies.

Le boa maintient l'ara entre ses **anneaux** et serre pour l'étouffer. Plus l'ara remue, plus il **serre**.

Lorsque le perroquet ne bouge plus, le boa **l'avale par la tête**, lentement, en entier, puis il **digère** tout, même les plumes, **pendant des jours**.

LA FORÊT TROPICALE AMÉRICAINE

Toujours en danger

Le **tapir**

Le tapir a des sabots et une trompe. Il vit au bord des marécages.

Plouf, **aux toilettes** !
Dès qu'il est **dans l'eau**, le tapir fait ses besoins. C'est un **bon engrais** pour les plantes qu'il pourra ensuite brouter.

Le **vampire**

Le vampire est une chauve-souris qui ne se nourrit que de sang.

Le vampire s'est posé **à terre** près du tapir, il s'approche **en rampant**.

Le vampire cherche sur la peau du tapir une zone bien chaude, où le **sang** circule bien. Puis, il **mord**. Le sang coule. Le vampire le lèche avidement.

Les **dents** du vampire sont si **tranchantes** que le tapir n'a rien senti.

La **grenouille fraise**

La grenouille fraise est l'animal le plus dangereux de la forêt.

Sa peau contient un **poison mortel** !
Les Indiens trempent la pointe des **flèches** de leur sarbacane dans ce poison pour **paralyser** leur gibier.

LA FORÊT TROPICALE AMÉRICAINE

Une proie si facile

Le **paresseux**

Le paresseux vit accroché dans les arbres.

Le paresseux porte bien son nom.
Il est si **lent** que, dans sa fourrure, des algues vertes poussent et les papillons pondent.

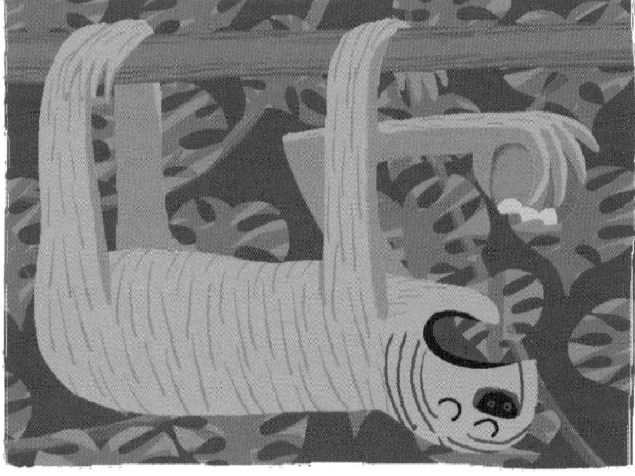

Accroché la **tête en bas**,
il mâche lentement les **feuilles** et les **fruits**.
Faut pas être pressé !

Toutes les semaines, tranquillement, il descend à terre pour faire un **trou** et y déposer ses **crottes**.

Le **ouistiti**

Le ouistiti, lui aussi, vit dans les arbres.

Le ouistiti est un singe si petit qu'il tiendrait dans le creux de ta main.

Il se cramponne en plantant ses **longues griffes** dans l'écorce.

Puis il entaille l'arbre avec ses dents et **lèche la sève**. Ses mouvements sont vifs.

Soudain, il ne bouge plus. Il a vu, là-haut, **l'oiseau mangeur de singes**. Il a **peur**. Mais le paresseux est une proie tellement plus facile à attraper!

La **harpie féroce**

La harpie féroce est un grand rapace.

La harpie est très **adroite** pour voler entre les hautes branches et plonger sur ses **proies**, les petits singes.

LA FORÊT TROPICALE ASIATIQUE

Long bras ou long nez

Singes, serpents, éléphants et tigres, c'est la forêt de Mowgli.

Le **nasique**

Le nasique est un étrange singe qui vit dans la forêt de Bornéo.

À quoi sert ce **long nez**, ce concombre au milieu de la figure? Sûrement à **séduire** les femelles. Les **petits** ont un petit nez, mais la **tête bleue**.

Le **nez** des mâles **grandit** toute leur vie.

Les **vieux** doivent le pousser sur le côté pour manger.

Le nez grossit et **rougit** quand le nasique est **excité**.

L'orang-outan

Orang-outan signifie «homme de la forêt».

C'est un grand singe très souple qui vit dans les arbres.

L'orang-outan a de **très longs bras**. Il connaît parfaitement son coin de forêt et sait où trouver les **fruits** bien mûrs. À la naissance, le **bébé** est **minuscule**. Il reste avec sa mère jusqu'à huit ans.

Le petit a **beaucoup à apprendre**. La mère a entendu quelque chose. Elle **casse** une **branche** et la jette dans la direction du bruit pour faire fuir l'intrus.

Son **petit l'imite** avec une brindille, il n'est pas encore très doué.

La **pluie** tombe **tous les jours** dans la forêt. La mère s'abrite sous une grande feuille.

Une grosse peluche très fragile

Sur les hautes **montagnes de Chine**,
le brouillard enveloppe la forêt de **bambous**. C'est là que vit le grand panda.

Le **panda**

Le panda a la taille d'un ourson. Il a 6 doigts. Un pouce de plus, c'est bien pratique pour tenir le bambou.

C'est un des animaux les plus **rares** du monde car les hommes détruisent les forêts où il vit.

Il passe presque toute sa journée à manger du bambou, **rien que du bambou.**

Au **printemps**
il mange les **pousses**…

… en **été** les **feuilles**…

… et en **hiver** les **tiges**.

Le reste du temps, il **dort**.

Il leur faut leur forêt pour vivre.
Les petits qui naissent **dans les zoos**
meurent très vite.

Dans
leur forêt,
leur **maman**
les **cajole**
beaucoup
et les **protège**
des **panthères**.
À 4 mois,
le bébé ne sait
toujours pas
marcher.

Le seigneur de la jungle

Le **tigre**

Le tigre est le plus gros et le plus fort des félins.

Sa robe rayée le rend presque invisible dans les hautes herbes et les sous-bois.

Il **tue** un tapir **d'un coup de patte**.

Il **marque son territoire** en griffant les arbres et en urinant.

À la naissance, les **petits** tigres sont **aveugles**, gros comme des chats. Ils **têtent** et **dorment**.

La **tigresse** les cache et tue tout ce qui s'en approche.

Plus grands, ils aiment **jouer**, **se disputer** et attraper des **papillons**.

Le tigre s'est approché **sans bruit** de sa proie.
Il va bientôt **bondir**.
Le **paon** n'a aucune chance.
Il est bien trop occupé à faire le beau pour épater les femelles. Dans quelques secondes, il sera dans l'estomac du seigneur de la jungle.

Le **tigre blanc** est très **rare**.
Il a les **yeux bleus**.

Un mangeur d'hommes ?

Parfois, oui. Lorsque l'homme détruit son territoire, ou qu'il menace ses petits, le tigre se défend et attaque.

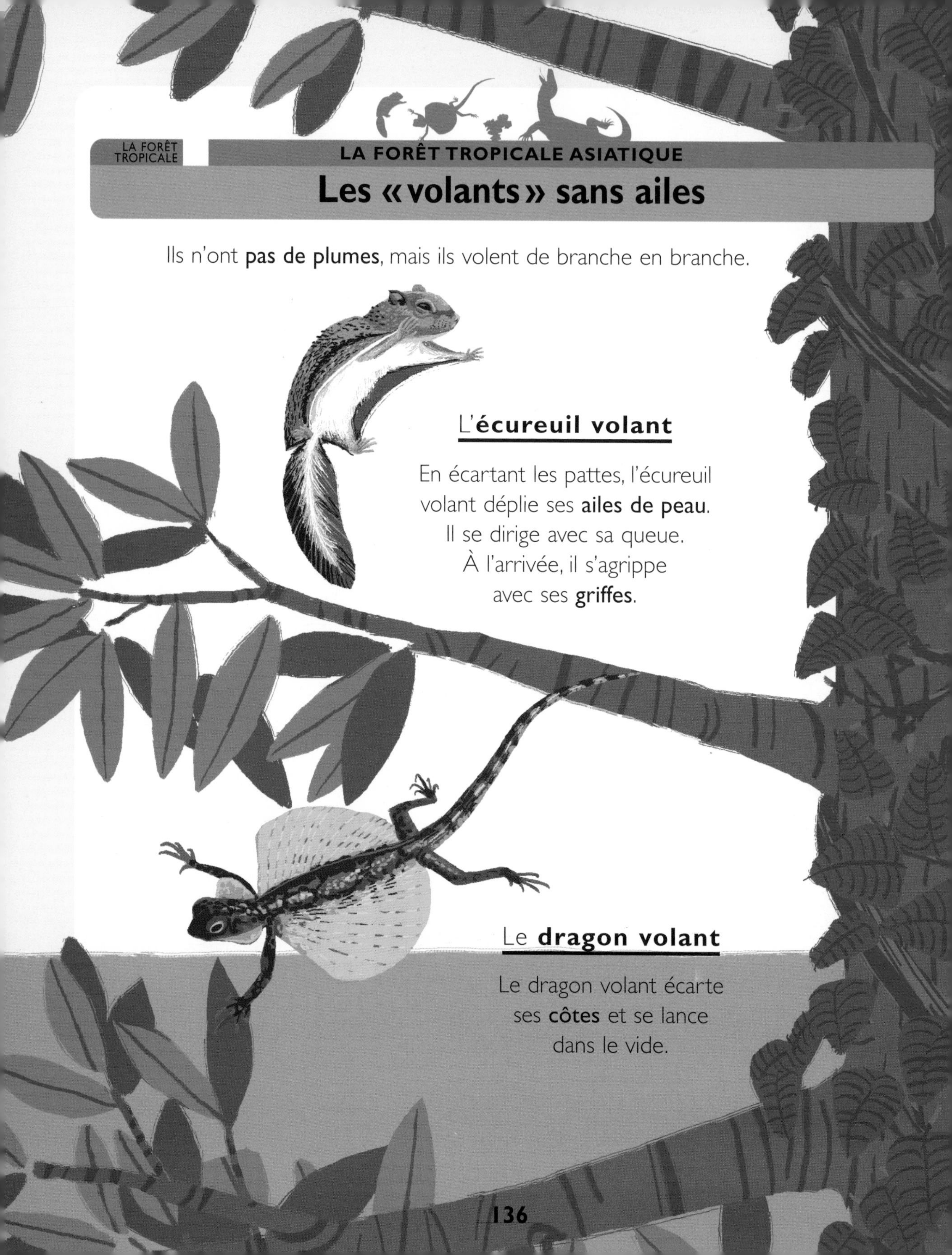

LA FORÊT TROPICALE ASIATIQUE

Les « volants » sans ailes

Ils n'ont **pas de plumes**, mais ils volent de branche en branche.

L'**écureuil volant**

En écartant les pattes, l'écureuil volant déplie ses **ailes de peau**. Il se dirige avec sa queue. À l'arrivée, il s'agrippe avec ses **griffes**.

Le **dragon volant**

Le dragon volant écarte ses **côtes** et se lance dans le vide.

La **grenouille volante**

La grenouille volante écarte ses **longs doigts palmés** et descend comme en parachute.

Le **varan**

Le varan ne quitte pas les « volants » des yeux et n'**attend** qu'une chose : qu'il y en ait un qui **tombe**.

Le varan est un lézard géant. C'est un carnassier redoutable aux griffes crochues et aux dents tranchantes. Avec sa langue fourchue, il « goûte » l'air et sent l'odeur appétissante des « volants ».

Pour **pondre**, le varan ouvre une **termitière** avec ses griffes et y dépose ses œufs. Ils y seront au chaud et à l'abri des mangeurs d'œufs.

L'AUSTRALIE

L'Australie est la plus grande île du monde. Les animaux qui y vivent sont plutôt étranges, on ne les trouve nulle part ailleurs.

C'est le pays des **marsupiaux**. Comme la maman kangourou, les mères koala, kangourou-rat musqué et wombat portent leurs petits dans une **poche**.

Bizarres, bizarres

L'ornithorynque a **un bec de canard** et **pond des œufs**, alors c'est un oiseau? Mais non, puisqu'il n'a **pas de plumes** et qu'il **rampe**. Alors, c'est un lézard?

L'ornithorynque

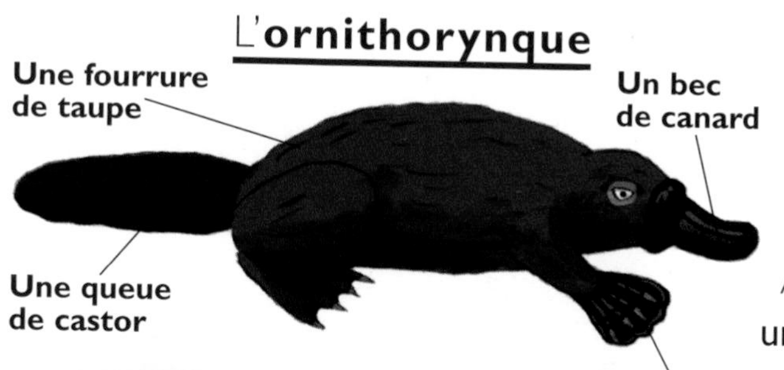

Mais non, il a des **poils** et **allaite** ses petits. Alors c'est... **un mammifère**!

Il vit dans les **fleuves** et fouille le fond de l'eau avec son bec à la recherche d'**insectes**, d'**écrevisses** ou de **grenouilles**.

Les petits lèchent le **lait** qui s'écoule du ventre de leur mère.

Le **kiwi**

Le kiwi est un oiseau dont les plumes ressemblent à des poils. Il ne peut pas voler.

Il renifle le sol avec son **bec** et l'enfonce pour en sortir les **vers** et les **mille-pattes**.

La femelle porte dans son ventre un **œuf énorme**. Elle marche les pattes écartées.

Des coups de pied, des coups de poing

Le **kangourou**

Le kangourou
est un **marsupial**.

**Le kangourou
fait des bonds géants.
Il broute l'herbe sèche
et les feuilles des buissons.
S'il a soif, il creuse
un trou pour trouver
de l'eau.**

**Une queue
qui sert
de balancier**

**Une poche
ventrale**

**Des pattes
arrières
très longues**

À la **naissance**, le petit kangourou est **gros comme un bourdon**, **sourd**, **aveugle**, **nu**. Il va accomplir un périlleux voyage jusqu'à la **poche** de sa maman.

Une fois dans la poche, il **s'accroche à une tétine** et n'en bouge plus pendant 7 mois. Il grandit et grossit.

Plus grand, il suit sa maman, mais à la moindre **alerte**, il **plonge** dans la poche, la tête la première.

Le **dingo**

Le dingo est un chien sauvage.

Il vit en **meute**, comme les loups. Il **chasse** les **kangourous**.

S'il est rattrapé par le **dingo**, le kangourou **se défend** à **coups de pattes** et de **poings**.

Ou alors, il l'entraîne dans la **rivière** et lui saute sur la tête pour le **noyer**.

L'**émeu**

L'émeu est un grand oiseau qui ne vole pas.

L'émeu **court très vite**. Il se nourrit de **graines** et de **fruits**.

Les **œufs** sont **couvés par le mâle**. Pendant qu'il couve, il ne mange pas et ne boit pas.

C'est encore le **mâle** qui **s'occupe des petits**. Si le dingo s'approche, il recevra une volée de coups de patte.

La vie autour de l'eucalyptus

Le **koala**

Quel adorable **nounours** !

Le koala est un marsupial. Son nom signifie : « ne boit jamais ».

Il **vit seul** et **mange** les feuilles de l'**eucalyptus**. Il a de grosses joues pour garder des **provisions** et souvent il **s'endort en mangeant**.

Il est bien accroché avec ses **griffes**.

Attention, il est très **mignon** mais il **sait se défendre**.

Le petit koala passe **6 mois** dans la **poche** de sa mère, puis il s'installe **sur son dos**.

Le **lézard à collerette**

Pour montrer qu'il est **grand**, **méchant** et **dangereux**, le lézard à collerette **dresse** les **grandes écailles** de son cou, **siffle** et fouette l'air avec sa **queue**.

Si ça ne marche pas, il **s'enfuit en courant debout**.

Le **phasme**

Cherche le phasme.
Cet insecte **ressemble** tellement à une **brindille** que les oiseaux ne le voient pas.
Il attend la nuit pour **grignoter les feuilles**.
S'il est attrapé par les pattes, elles se détachent et repousseront plus tard.

LES TERRES FROIDES

Quand on avance vers le nord, il fait de plus en plus froid.

On rencontre d'abord une immense forêt de sapins, la **taïga**.
Puis une grande prairie d'herbes et de mousses, la **toundra**.
Encore plus au nord, c'est l'**Arctique** : le pôle Nord et la banquise.
Il y a aussi un continent glacé, de l'autre côté de la Terre,
au pôle Sud : l'**Antarctique**.

Dans ces régions, le **sol** est **gelé** et la **nourriture rare**.
Il faut être bien équipé pour y vivre.

Pour se cacher des prédateurs ou au contraire attaquer sans être vu, beaucoup ont une **fourrure blanche** comme la neige.

Les animaux ont une **fourrure épaisse** et, sous la peau, une grosse **couche de graisse**.

Houuuuuuuuuu !

Le **loup**

Un **long hurlement** déchire le silence de la forêt glacée.
Les animaux frissonnent.

**Non, le loup n'est pas un monstre assoiffé de sang mangeur d'enfants.
Le loup est un bon père de famille. Il aime tendrement sa louve et ses louveteaux.
Mais c'est un grand chasseur.**

La **meute** est dirigée
par le mâle le plus fort et sa femelle.
Eux seuls ont des petits.

Le chef est souvent obligé de **se battre**
pour garder sa place.
Le vaincu se couche sur le dos,
montrant son ventre et sa gorge.

La meute s'approche
«**à pas de loup**» du vieil élan.
Quand il les voit, c'est trop tard,
il est déjà encerclé.
Les **loups mordent**.
L'**élan** tombe sur le côté.
Il est aussitôt **égorgé**.
Le chef grogne et les autres
loups s'écartent.
Il mange le premier,
rejoint par sa femelle.

Dans la **tanière**, les louveteaux tètent le lait de leur mère, puis ils mangent de la viande que leurs parents régurgitent.

L'**élan**

L'élan vit dans les bois près des marais ou des lacs où il aime se baigner.

Au Canada, on l'appelle l'orignal.

La toundra de glace

Le **lapin arctique**

Les oreilles du lapin arctique sont courtes pour qu'elles ne gèlent pas.

Le **lapin arctique** creuse le sol pour y trouver quelques pousses gelées.

Drôles de bisous! Le mâle fait la cour à la femelle en la mordant sauvagement.

L'**hermine**

L'hermine est blanche et rousse dans sa robe d'été.

Trois points noirs sur la neige, c'est l'hermine. Sa **fourrure d'hiver** est épaisse et toute **blanche**.

L'hermine **poursuit sa proie** dans son terrier. Le **lapin** n'a aucune chance de lui échapper.

Le **renne**

Le renne vit **en bande**. L'été, il broute l'**herbe** et l'hiver, il se contente de **mousses** et de **champignons**.

Comme chez le cerf, les bois du renne tombent chaque année pour repousser plus grands.

Il peut marcher dans la neige avec ses sabots.

Au Canada, on l'appelle le caribou.

Le **glouton**

Le glouton est très rapide sur la neige avec ses grosses pattes.

Le glouton est **glouton**, mais le renne est un peu gros pour un seul repas. Le glouton **enterre les restes** et viendra les croquer plus tard.

La mer gelée

L'**ours blanc**

Sur la **banquise**, un ours blanc attend **au bord d'un trou**.
C'est là que le **phoque** vient respirer.

Lorsque le phoque remonte, l'ours l'**assomme** d'un coup de patte, le sort avec ses **griffes** et le tue d'une morsure à la gorge.
L'ours **mange** surtout la **graisse** du phoque.

Les **oursons** naissent dans une **tanière** creusée **dans la neige**. L'ourse les allaite tout l'hiver sans manger ni boire.

L'**otarie** est une grosse boule de graisse. Sur la banquise, elle se traîne comme une limace, mais dans l'eau, quelle **nageuse** !

Le **phoque**

Les otaries ont des oreilles, les phoques n'en ont pas.

L'**otarie**

Avant de **plonger**, elle vide ses poumons pour descendre plus vite.

Très **rapide**, elle n'a aucun mal à attraper les poissons.

Vraiment blanc ?

Non ! Sous sa fourrure, la peau de l'ours blanc est… noire !

Dents contre défenses

Le **morse**

Le morse se nourrit au fond de la mer, de mollusques, de crustacés, de crevettes.

Sur terre, le morse est un **gros mou** qui a du mal à bouger…

Les mâles se battent avec leurs **défenses**. Les vieux sont couverts de cicatrices.

… mais dans l'eau, c'est un **champion de plongée**.

L'**orque**

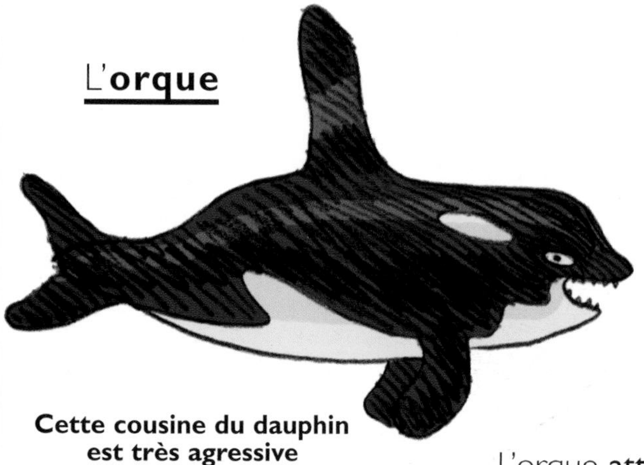

Cette cousine du dauphin est très agressive et très vorace.

L'orque **attaque** tout ce qui bouge : **phoques**, **tortues**, **oiseaux**, **baleines**, et même le grand **requin blanc**.

Le morse s'est hissé sur la banquise avec ses **défenses**.

Sous la glace, une grande ombre l'a repéré. C'est une **orque**.

Elle prend son élan et **fonce** dans la couche de **glace** qui **explose**.

Le morse est projeté dans l'eau et l'orque le **dévore** aussitôt.

Le **narval**

Le narval ressemble à un **gros dauphin**.

Sa défense est une **dent** qui a beaucoup poussé.

Un « papa poule »

Le **manchot empereur**

Le manchot vit tout au sud de la Terre, dans l'**Antarctique**, un grand **continent gelé**.

Le manchot empereur est un oiseau qui ne vole pas.

Les « **ailes** » du manchot empereur lui servent à **nager**.

L'été, c'est la belle vie, le manchot **se gave de poissons**.

Mais **l'hiver**, il retourne loin de la mer, **sur la glace** où il est né.

Maman va à la mer, papa garde les enfants

La **femelle pond** un œuf
et repart se nourrir au bord de la mer.

Le **mâle** pose l'œuf sur ses pattes et **le recouvre de son ventre**. Il se déplace à petits pas.

Le **vent** et la **température** sont **terribles**.
Il fait nuit. Les papas se serrent
les uns contre les autres.

Ils ne **mangent pas pendant 3 mois**
et perdent la moitié de leur poids.

Au **printemps**, la maman revient, en pleine forme
et toute dodue. Elle reconnaît son mâle à son **chant**.
Elle rapporte dans son **jabot** de quoi nourrir
le poussin qui va naître.

Le **papa épuisé** se traîne
à son tour vers la mer.
Il reviendra, plus tard,
pour nourrir le petit vorace.

INDEX

R

S

T

V

W

Z